YR HEWL A'I HWYL

Atgofion drwy Ganeuon

YR HEWL A'I HWYL

O GAERDYDD I GORC AC YN ÔL DRACHEFN

Atgofion Drwy Ganeuon

DAVE BURNS

Golygydd: Lyn Ebenezer

Gwasg Carreg Gwalch

Argraffiad cyntaf: 2021

Rhif Llyfr Safonol Rhyngwladol:
978-1-84527-808-3

Cyhoeddwyd gyda chymorth Cyngor Llyfrau Cymru

Cynllun clawr: Eleri Owen

Cyhoeddwyd gan Wasg Carreg Gwalch,
12 Iard yr Orsaf, Llanrwst, Dyffryn Conwy, Cymru LL26 0EH.
Ffôn: 01492 642031
e-bost: llyfrau@carreg-gwalch.cymru
lle ar y we: www.carreg-gwalch.cymru

Argraffwyd a chyhoeddwyd yng Nghymru

Cyflwynaf y gyfrol hon i Clare fy ngwraig a Daniel ein mab
am fynd y tu hwnt i ofal a chariad
wrth fy nghadw'n ddiogel drwy'r pandemig Covid.
Hebddynt hwy ni fyddai'r gyfrol hon yn bodoli.
Diolch hefyd i Lyn, Myrddin a Geraint Evans
am eu hangogaeth a'u ffydd ynof.
A diolch i'r Hennessys am yr holl atgofion.

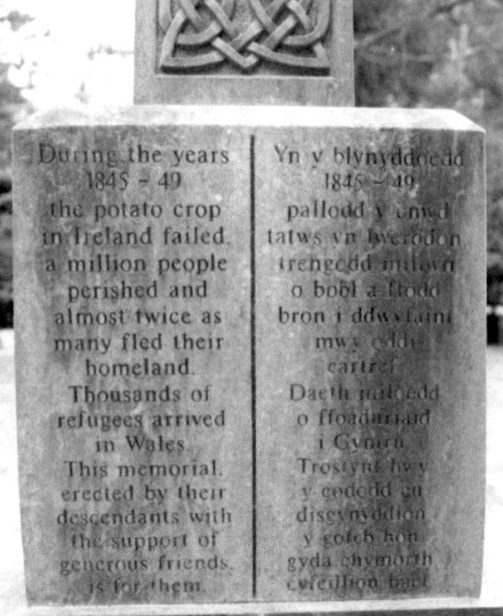

Cofeb ym Mynwent Cathays, Caerdydd i'r Gwyddelod a fu farw yn y Newyn Mawr yn Iwerddon a'u disgynyddion a fu farw yng Nghymru.

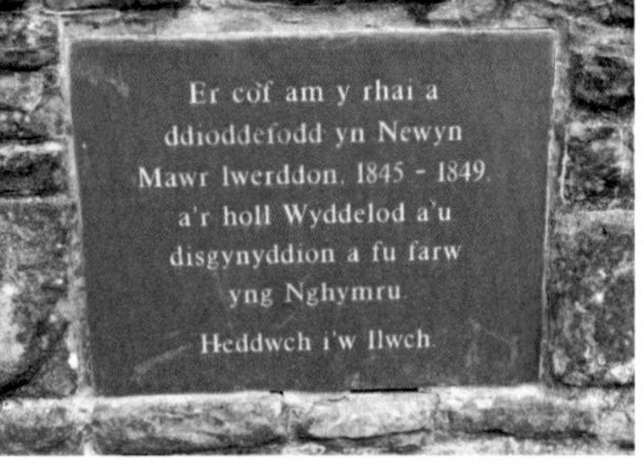

CYNNWYS

Gardd Goffa Newtown yn Stryd Tyndall. Mae pennill croesawgar Cymraeg wedi'i gyfieithu i'r Wyddeleg a Saesneg ar y grisiau: 'Dyred pan fynnych, cymer a welych/A gwedy delych, tra fynnych trig.' Mae gwead o gyfenwau teuluoedd mewnfudwyr o Iwerddon ar y palmantau – gyda 'Burns' yn eu mysg. Ar risiau eraill, cyfieithwyd hen ddihareb Wyddeleg i'r Gymraeg: 'Y sawl sy'n anghofio'i wreiddiau anghofia'n fuan pwy ydyw.'

RHAGAIR

Cefais fy ngeni a'm magu yn ardal Newtown, Caerdydd – ardal a gâi ei galw'n 'Little Ireland'. Ymfudodd cymuned fawr o Wyddelod yno yn ystod y Newyn Mawr (*An Gorta Mór*) yn Iwerddon yng nghanol y 19eg ganrif. Dyma'r 'nafis' a helpodd i adeiladu dociau Caerdydd – roedd y rhan fwyaf o ddynion fy nheulu yn cynnwys tad-cu, da, brodyr a sawl ewythr yn gweithio yn y dociau.

Derbyniais fy addysg yn Ysgol Gynradd Dewi Sant ac yna Ysgol Ramadeg Illtyd Sant – yr unig ysgol ramadeg Gatholig yn ne Cymru bryd hynny. Ymlaen wedyn i Goleg Urdd De La Salle yn Berkshire am ddwy flynedd a hanner, yna dychwelyd i Goleg Illtyd Sant cyn gadael a dechrau gweithio mewn iard goed. Ymlaen i waith dur adeiladu. Yn eironig iawn, mi gyflenwodd y gwaith ddur pan godwyd Ysbyty Athrofaol Cymru, lle cyfarwydd iawn i mi y dyddiau hyn. Diolch i'r drefn, mae'n dal i sefyll yn gadarn!

Yn 1966, dyma gyfarfod Paul Powell a Frank Hennessy a ffurfio grŵp dan yr enw 'The Hennessy Boys'. Fe ollyngwyd y 'Boys' yn yr enw yn reit fuan wrth inni ddod yn ugain oed. Fe weithion ni gyda'n gilydd dros y blynyddoedd nesaf, gydag ychydig o newidiadau – Paul yn gadael, Aloma'n ymuno – nes chwalwyd y grŵp yn 1973.

Fe ymunais gyda dau gyfaill o actorion o Splott – Anthony O'Donnell a Terry Jackson – am gyfnod byr yn 1974, gan weithio dan yr enw 'Gwerin'. Fe recordion ni raglen *The Singing Trail* i'r BBC. Wedyn mi gafodd y bechgyn gytundebau actio. Aeth Anthony i'r Royal Shakespeare Company a Terry at Theatre Wales. Fe es innau o joban i joban ac yn y diwedd ro'n i'n gweithio ar y dociau.

Erbyn 1976, roedd y gwaith yn y dociau yn dod i ben ond yn ffodus dyma alwad gan Jack Williams, BBC Cymru. Gofynnodd a fyddwn i'n medru cael grŵp at ei gilydd i gynrychioli Cymru yn yr Ŵyl Geltaidd yn Lorient. Wedi sawl sgwrs ffôn, dyma

Cerflun Jim Driscoll o flaen gwesty'r Radison Blu, lle safai'r Central Boys' Club a charreg fedd y paffiwr ym Mynwent Cathays, Caerdydd. Jim Driscoll oedd fy hen ewythr – roedd ei fam yn hen fam-gu i minnau.

chwech ohonom yn ei throi hi am Lydaw. Gadawodd dau yn gynnar gan adael y gweddill – Iolo Jones, Gwyndaf a Dafydd Roberts a minnau – i ffurfio'r grŵp Ar Log.

Wrth adael Ar Log ar ddiwedd 1979, gweithiais fel cerddor unigol am gyfnod, cyn ymuno gyda Frank a Tommy Edwards ar ddechrau'r 1980au. Fe ailymunais ag Ar Log yn 1996 ac rwy'n dal i weithio'n hapus gyda'r ddau grŵp hyd heddiw.

Dave Burns
Haf 2021

Merched yn gweithio ar Gei Tatws Edward England. Merched Newtown oedd y rhan fwyaf o'r rhain – rwy'n cofio eu gweld yn cerdded i'w gwaith pan oeddwn i'n tyfu i fyny yn Newtown – fel y gellir gweld yn y darlun, roedden nhw'n gwisgo sachau tatws fel ffedogau. Eu gwaith nhw oedd dringo i mewn i grombil y llong ar ôl i'r docwyr ddadlwytho'r sachau tatws. Gwaith y merched oedd casglu'r tatws rhydd a ddisgynnodd o sachau oedd wedi rhwygo ar y fordaith, eu rhawio i sachau newydd a dadlwytho'r rheiny.

Doc y Rhath
Gwaith Dur Dowlais (GKN)
Doc y Dwyrain
Cei
Stordy
Tŷ Dave
Ffowndri Tubal Cain
Ffatri Fenyn
NEWTOWN
Tafarn 'Y Vulcan'
Tŷ Paul
Neuadd Eglwys St David's
Churchill Way
Ysgol St David's (Catholig)
'The Panorama' (ar ben y stryd hon)

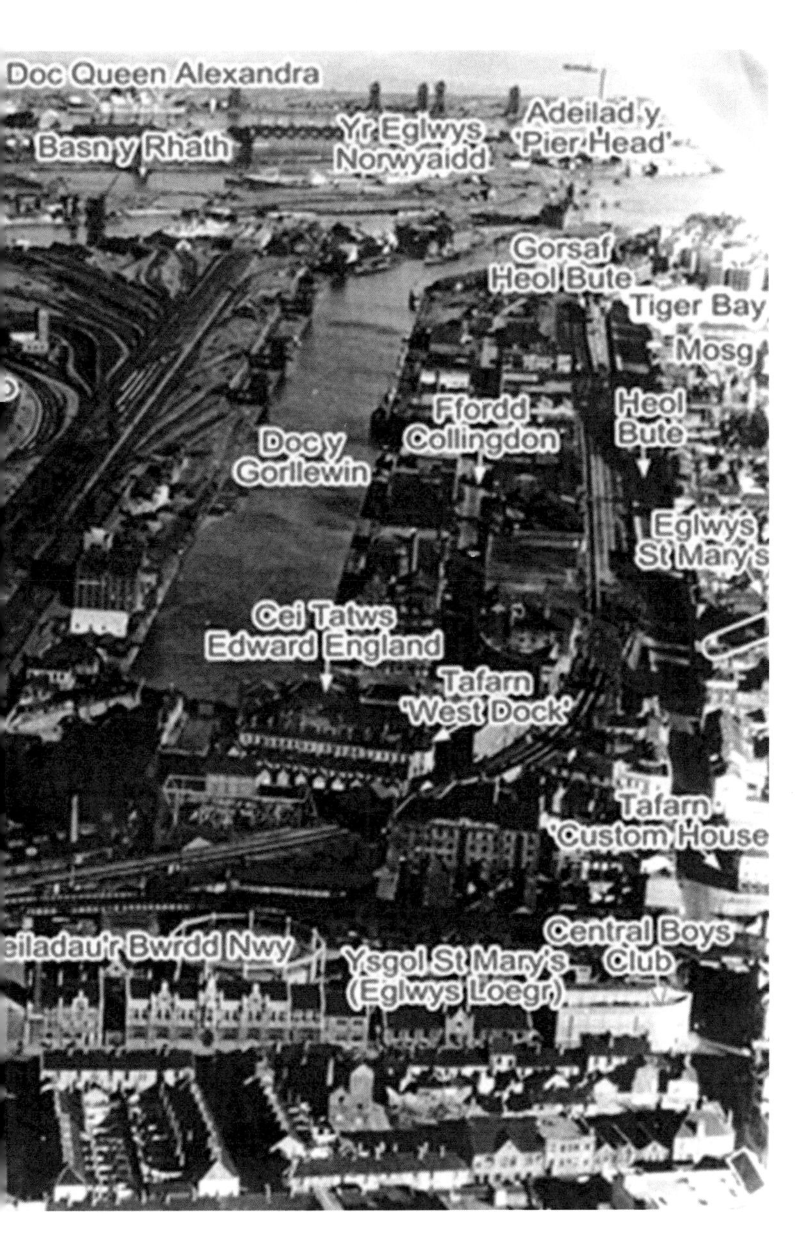

Llun o'r awyr o ardal y dociau yng Nghaerdydd, sy'n dangos strydoedd Newtown ac adeiladau eraill sy'n cael eu henwi yn y testun

1.

AR LAN Y MÔR

Ar lan y môr mae rhosys cochion,
Ar lan y môr mae lilis gwynion,
Ar lan y môr mae 'nghariad inne
Yn cysgu'r nos a chodi'r bore.

Ar lan y môr mae carreg wastad
Lle bûm yn siarad gair â'm cariad,
Oddeutu hon mae teim yn tyfu
Ac ambell sbrigyn o rosmari.

Ar lan y môr mae cerrig gleision,
Ar lan y môr mae blodau'r meibion,
Ar lan y môr mae pob rhinweddau.
Ar lan y môr mae nghariad innau.

Rhaid cychwyn gyda'r gân, yn anad yr un arall, a wnaeth lunio'n gyrfa ni fel band. Ac fe ddigwyddodd hynny ar hap. Mae 'Ar Lan y Môr', wrth gwrs, yn un o ganeuon gwerin mwyaf poblogaidd Cymru. Ond fe fyddem ni'n cyfeirio ati yn y dyddiau cynnar nid fel 'Ar Lan y Môr' ond fel 'Cân Iori'.

Mae stori'r Hennessys yn cychwyn yn Newtown, geto Gwyddelig a Chatholig Caerdydd, cymuned o chwe stryd nad yw'n bod bellach. Ac yno y magwyd fi a Paul Powell. Byddai Paul a finne'n ffurfio dau draean o'r Hennessys.

Fe wnaeth Paul a finne gyfarfod yng Nghlwb y Bechgyn, sef y Central Boys Club a safai ar gornel Heol Bute a Bute Terrace. Pwrpas y ganolfan oedd cadw bechgyn ifanc yr ardal ar y llwybr cul ar ôl oriau ysgol. Ymhlith noddwyr y clwb roedd yr arwyr lleol o'r byd chwaraeon, Joe Erskine a Billy Boston. Byddai Joe, y pencampwr bocsio ac a gadwai dafarn y Loudon yn Heol Bute yn galw'n aml. Galwai Billy hefyd pan na fyddai i ffwrdd yn chwarae Rygbi'r Cynghrair. Noddwr arall oedd Benny Jacobs, rheolwr Joe Erskine a nifer o focswyr llwyddiannus eraill. Yn ddiweddarach sefydlodd ei gwmni betio ei hun.

Bu Paul a minnau'n gyd-ddisgyblion yn Ysgol Gynradd Dewi Sant, neu St David's i ni, Roedd ei gartref gerllaw yn Sandon Place yn Adamsdown yn ymyl y carchar. Yn wir, ffiniai wal y carchar â phen y stryd. Gan ei fod flwyddyn o'm blaen i, doedden ni ddim yn adnabod ein gilydd yn dda bryd hynny.

Cyfnod Clwb y Bechgyn a mynychu'r tafarnau lleol ddaeth â ni'n gyfeillion. Roedd tafarnau Caerdydd ganol y Chwedegau yn fannau cyfarfod naturiol heb na setiau teledu na pheiriannau gamblo nac unrhyw ymyrraeth ddiangen arall. Hynny ar wahân i ddyfais gerddorol newydd a fedyddiwyd yn *juke box*. Ac yn ein tafarn leol ni, y Panorama, byddai'r tafarnwr, Con O'Sullivan, yr eiliad y gwnaem ni groesi'r trothwy gyda'n hofferynnau yn tynnu'r plwg ar y *juke box*. Un tro fe wnaeth hynny ar ganol cân. Ond fe ad-dalodd bishyn chwe cheiniog i ddigolledu'r cwsmer a ddewisodd y record. Erbyn hyn mae'r dafarn, sydd ger Canolfan Siopa Dewi Sant, wedi newid ei henw i Traders Tavern. Ond mae'n para i fod yn dafarn deuluol. Ond yn anffodus, hi yw'r olaf o'i bath yn y ddinas erbyn hyn.

Roedd gan lawer o hen dafarnau Caerdydd agwedd y medrid ei disgrifio fel un a dueddai i fod braidd yn rhyddfrydol o ran materion dibwys fel oriau yfed. Ac yn arbennig amser cau. Yn wir, prin fod y fath gyfyngiad yn bodoli. A'n hoff dafarnau ni oedd y rheiny oedd â thrwch eu cwsmeriaid yn Wyddelod, rheiny'n labro ar wahanol safleoedd adeiladu. Hynny yw, nafis.

Un noson roeddem mewn loc-in yn y Blue Anchor yn Heol Eglwys Fair yng nghanol y ddinas. Roedd hi'n noson swnllyd a hwyr. Ond ar yr amod ein bod ni'n dal i berfformio, roedd y cwrw'n dal i lifo. Nawr ac yn y man byddem yn galw ar un o'r criw yn y bar i ganu, neu yn achos Eugene Sheridan i adrodd. (Neu lefaru, os ydych chi'n digwydd bod yn eisteddfodwr.) Chlywais i ddim hyd heddiw unrhyw beth gan Robert Service yn cael ei adrodd cystal. Fedrwn i ddim dirnad sut yn y byd fedrai'r cwsmer hwn gofio geiriau nifer fawr o gerddi hir y bardd hwnnw, un ar ôl y llall. Yn arbennig felly ar ôl yfed llond bol o gwrw.

Yn ystod un o'r sesiynau hyn dyma un o'r cwsmeriaid yn ein hannog i alw ar rywun o'r enw Iori allan i'r llawr. Iorwerth, rwy'n tybio, oedd ei enw llawn. Dyn bychan â gwallt wedi gwynnu oedd Iori, a fyddai'n yfed yn ddigon hapus yn ein mysg. A dyma lwyddo i'w berswadio i gamu allan i ganol y bar. Galwodd am ffidil. Fe'i cododd at ei ysgwydd. Cyffyrddodd y bwa â'r llinynnau a dyma greu'r melodi brydferthaf. Ar unwaith, tawelodd y bar wrth i bawb droi i edrych a gwrando. Yn dilyn cymal agoriadol offerynnol, gosododd y ffidil tan ei fraich a chychwynnodd ganu'n ddigyfeiliant mewn llais tenor melys:

'Ar lan y môr, mae rhosys cochion ...'

Ar ôl canu tri phennill daeth â'i ddatganiad i ben gyda chymal offerynnol arall. Am rai eiliadau, wedi iddo orffen, cafwyd tawelwch llethol yn y bar cyn i'r cynnwrf ail-gychwyn yn raddol. Dyma Iori'n rhoi'r ffidil yn ôl i'w pherchennog cyn dychwelyd i yfed gyda'i gyfeillion.

Bu hon yn orig a oedodd yn hir ar ein cof ni fel band. A buom yn dyfalu llawer wedyn sut fedrai cân Gymraeg gael cymaint o effaith ar wrandawyr llawn cwrw, a hynny heb fod yno neb yn eu plith (ar wahân i Iori ei hun) oedd yn deall yr un gair o'r iaith?

Roedd Iori'n ddyn annwyl iawn. Gweithiai fel gofalwr i griwiau o Wyddelod oedd yn adeiladu traffyrdd, yr unig Gymro ymhlith gangiau o'r Ynys Werdd. Byddai'r gangiau hynny'n byw ac yn cysgu mewn carafanau ar y safleoedd lle bydden nhw'n gweithio, hynny'n aml yn bell o bobman. Gwaith Iori fyddai cynnal y nafis o ran darparu bwyd a diod iddyn nhw.

Yn 1968, flwyddyn wedi i ni glywed Iori'n perfformio yn y Blue Anchor, dyma ni'n penderfynu troi am Iwerddon gyda'r gobaith o wneud enw i ni'n hunain fel grŵp yn rhai o leoliadau canu gwerin niferus y wlad. Y prif gerddorion i ddylanwadu arnom yn y dyddiau hynny oedd y Brodyr Clancy a Tommy Makem. Nhw, yn anad neb, a wnaeth gychwyn adfywiad traddodiad canu baledi Gwyddelig. Roedd Iwerddon felly, gyda'i sîn werin fywiog, yn ddewis naturiol i ni dreio'n lwc.

Er gwaetha'n repertoire o ganeuon Gwyddelig, dyma sylweddoli y byddem, ym mhob man, yn cael ein cyflwyno fel 'The Hennessys from Cardiff' neu 'The Hennessys from Wales'. Fe wnaethon sylweddoli o dipyn i beth, er yn disgrifio'n hunain fel 'Gwyddelod Caerdydd', mai'r hyn oedden ni mewn gwirionedd oedd Cymry.

Un prynhawn glawog, a ninnau'n ymarfer yn ein carafán, dyma ni'n trafod digwyddiad ar y noson gynt pan ddaeth aelod o'r gynulleidfa fyny atom yn mynegi gymaint y gwnaeth fwynhau ein perfformiad. A dyma ofyn i ni pam nad oedden ni'n canu caneuon Cymraeg? A hynny a wnaeth i ni wedyn drafod y syniad a phenderfynu y dylem ddysgu'r hyn a gofiem o gân a ddisgrifiem ymhlith ein gilydd fel 'Cân Iori'.

Fe wnaethon ni anfon nodyn at ffrind o'r enw Connie Scanlan o Gaerdydd yn gofyn iddi geisio cael hyd i eiriau 'Ar Lan y Môr'. Dim ond teitl y gân fedrwn i gofio. Ond yn ffodus, profodd hynny i fod yn ddigon. Cysylltodd Connie â merch ifanc oedd yn mynychu clybiau gwerin Caerdydd ac a oedd yn siarad Cymraeg. Ei henw oedd Eluned. Fe wnaeth honno, yn ei thro, holi ei thad am eiriau'r gân.

Wythnos neu ddwy'n ddiweddarach dyma amlen o faint A5 yn cyrraedd y maes carafanau wedi ei chyfeirio atom ni. Ynddi roedd copi o eiriau'r gân ynghyd â'r gerddoriaeth a'r tonic sol-ffa a hyd yn oed fersiwn ffonetig o'r geiriau. Ond syndod mwy oedd canfod yn yr amlen hefyd lythyr oddi wrth dad Eluned ar bapur ag arno bennawd a logo swyddogol y BBC. Pwy oedd y llythyrwr? Wel, neb llai na Meredydd Evans! Yn ei lythyr dywedodd Merêd, petaen ni'n dod nôl i Gymru y dylem gysylltu ag ef. Roedd e'n awyddus i gwrdd â ni.

Fe wnaethon ni ddychwelyd i Gymru ym mis Ionawr 1969

ac ymhen ychydig dyma ni'n cysylltu â Merêd. Gwahoddodd ni i swyddfeydd y BBC yn Newport Road lle gweithiai fel Pennaeth Adloniant Ysgafn y Gorfforaeth. Cyn pen dim dyma ni'n torri allan i ganu 'Ar Lan y Môr' gyda'n gilydd, a'i hailadrodd dro ar ôl tro wrth i fwy a mwy o bobol ddod i mewn i swyddfa Merêd i weld beth oedd yn digwydd yno. Yn eu plith roedd enwau a ddeuai'n rhai cyfarwydd iawn i ni. Yn eu plith roedd Rhydderch Jones, Ruth Price, Ryan Davies, Ronnie Williams, Bryn Williams a'r Brodyr Richards, sef David a Bryn.

Daeth y diwrnod i ben yng Nghlwb y BBC fyny'r stryd lle buom yn canu hyd yr oriau mân yng nghwmni ein ffrindiau newydd. O hynny ymlaen roedd ein tynged wedi'i selio. Wnaethon ni ddim dychwelyd i Iwerddon. Wel, ddim yn sefydlog, beth bynnag.

Ond beth petaen ni heb glywed Iori'n perfformio ym mar y Blue Anchor ar y noson arbennig honno? Pa mor wahanol, tybed, fyddai ein tynged wedi bod fel band petaen ni heb fod wedi clywed 'Cân Iori'? A beth oedd hanes Iori erbyn hynny? Clywsom flynyddoedd yn ddiweddarach iddo farw yn ei garafán ar safle adeiladu un o'r traffyrdd newydd. Hynny heb iddo sylweddoli gymaint oedd ein dyled iddo.

2.

BUACHAILL ÓN ÉIRNE

(Traddodiadol)

On Éirne mé
’s bhréagfainn féin cailín deas og.
Ní iarrfainn bó spré léithe
ta mé féin saibhir go leor.
’S liom Corcaigh ’a mhéid é,
dhá thaobh a’ ghleanna ’s Tír Eoghain.
’S mura n-athraí mé béasaí
’s mé n’ t-oidhr’ ar Chontae Mhaigh Eo.
Rachaidh mé ’márach
a dhéanamh leanna fán choil
Gan choite, gan bad,
gan gráinnín brach’ ar bith liom
Ach duilliúr na gcraobh
mar éideadh leapa os mo chionn
’S óró sheacht mh’anam déag thu
’s tu ’féachaint orm anall.
A chuisle ’s a stôr
na pos ân seanduine liath
Ach pos a’ fear óg, mo lao,
mur’ maire sé ach bliain
Nó beidh tu go fóill
gan ó nó mhac os do chionn
A shilfeadh a’n deor
tráthnóna nó’r maidin go trom.

Bachgen o'r Erne

Rwy'n fachgen o'r Erne
A gallwn hudo merch ifanc hyfryd,
Wnawn i ddim holi am ei chyflog
Gan fy mod yn gyfoethog fy hun.
Fi biau Corc, mor fawr ag y mae,
Bob ochr i'r glyn, a Tyrone.
Heb i mi ail-adrodd fy hun,
Fi yw etifedd Swydd Mayo.
Fe af yfory
I fragu cwrw'n y coed
Heb na bwthyn a heb gwch,
Heb binsied o sucan gen i
Ond dail y brigau
Yn flancedi dros fy mhen,
Ac O! Da iawn ti!
A thithau'n sbecian draw ata'i.
Fy nghariad a'm hanwylyd.
Paid priodi'r hen ŵr llwyd
Ond prioda ddyn ifanc, fy mechan
Pe na wnaiff bara ond blwyddyn
Gan na fydd gen ti etifedd i'th ddilyn
A wnâi golli dagrau
Yn drwm, gyfnos neu wawr.

Dyma'r unig gân Wyddeleg ei hiaith bellach sydd wedi para i fod yn rhan o'n rhaglen. Fe wnaethon ni ei dysgu pan oedden ni'n byw yng Nghorc, fel yr esboniaf yn nes ymlaen.

Gadawsom Gaerdydd am Iwerddon yn fen Austin A35 Frank ym mis Gorffennaf 1968. Fe wnaethom benderfynu y gwnaem, cyn i ni gychwyn ar ein gwaith caled, flasu'r dŵr, fel petai, drwy dreulio wythnos neu ddwy o wyliau ym mhentref prydferth Ardmore yn Swydd Waterford. Y pentref pysgota hwn, yn ôl y

Cork Examiner. 17th Jan, 1969.

They Came From Wales

LAST August three young men came from Wales to Ardmore, Co. Waterford, for a ballad festival there. Since then THE HENNESSYS, as they are known, have travelled 8,000 miles in quest of new ballads and have performed in the smallest cafe and biggest hotel.

In Cork alone, they entertained French, American and Dutch tourists for Bord Failte. Their greatest asset now is that they can sing in Welsh and Irish, so much so that Gael-Linn has shown a keen interest in them. Lately, they recorded the soundtrack for a film which is soon to appear on R.T.E.

Much of their success they attribute to their advisor, Cork actor CHRIS WHITNELL who, they say, taught them how to project their performance as on a stage show. As well, Chris got his brother-in-law, JOHN O'HANLON, B.A., to teach them Irish.

On January 23 The Hennessys must fulfil an engagement in Cardiff, so they return again to the Newtown area, which is known as Wales' "Little Ireland." Their stay there will not be too long for they must return to Cork at the request of the Lord Mayor, Ald. John Bermingram, to perform at the Lord Mayor's dinner on March 17.

The Hennessys, who include Frank Hennessy, Paul Powell and Dave Burns spent Christmas Day entertaining the patients at Cork hospitals along with Chris Whitnell. Their last four performances will be at the Commodore Hotel, Cobh, and the first was given last night.

Cork Examiner '69

sôn, yw'r sefydliad Cristnogol hynaf yn Iwerddon. Dywed traddodiad i Sant Declan fyw yn y cyffiniau yn gynnar yn y 5ed ganrif gan gyflwyno Cristnogaeth i'r boblogaeth cyn dyfodiad Sant Padrig. Roedd Declan yn cydoesi â Dewi Sant.

Roedd rhai o berthnasau Frank, yn cynnwys ei ewythr Willie Hennessy, yn byw yn Ardmore ac yn berchen tŷ y medrem ei ddefnyddio. Roedden ni wedi bod yno eisoes ar wyliau, felly roedd hyn fel mynd adre. Daethom ar unwaith yn rhan o'r gymuned leol gynnes a charedig. Yn wir, fe wnaeth y bechgyn lleol ein cadw ni'n fyw. Gofalodd Tommy Mooney, Donal O'Brien, Tony Gallagher a Hugh O'Reilly y byddai ganddon ni gyflenwad rheolaidd o fecryll yn syth o'r môr. A diolch i Geraldine Nugent, daethom i ddysgu sut i ddiberfeddu a rhostio'r pysgod. Roedd y pysgod mor ffres wrth i ni eu torri fel y byddai'r sbrats o'u mewn yn dal i neidio.

Un dydd dyma un o'r bechgyn yn ein hysbysu fod yna gystadleuaeth canu gwerin i'w chynnal yn y pentref fel rhan o ŵyl flynyddol. Roedd gan bob tref a phentref yn Iwerddon wyliau o'r fath gyda'u henwau'n adlewyrchu enwau eu nawddseintiau. Fe'i cynhaliwyd yn Halla Deuglan, sef Neuadd Deuglan.

I dorri stori hir yn fyr, fe wnaethon ni ennill. Y wobr oedd cwpan arian sef 'The Harp Lager Trophy' ynghyd â £40. Fe barhaodd y dathlu dipyn yn hwy na'r arian.

Y noson honno fe wnaethon ni ymweld â thair tafarn Ardmore, O'Reilly's, Keevers a Rooneys. Yn y tair tafarn llanwyd y cwpan (â wisgi, os fedra'i gofio) gyda phawb yn y bar yn eu

Tu allan i'r tŷ yn Ardmore gyda phabell ar ben y car

Cael ein cyflwyno â Chwpan Gŵyl Ardmore

tro yn sipian allan ohono. Roedd ewythr i Frank, Willie Hennessy, yn llwyrymwrthodwr o'i eni. Ond fe wnaeth hyd yn oed hwnnw wthio bys i'r cwpan a'i sugno fel rhan o'r dathlu.

Trannoeth fe wnaethon ni gyfarfod ag un o'r beirniaid yn Rooneys. Yn wir, roedd ef ei hun yn berfformiwr o Corc oedd ar wyliau gyda'i deulu. Awgrymodd y dylem fynd i'r ddinas gan fod yno ddigon o waith. Ei enw oedd Christy Whitnell ac fe'n gwahoddwyd ganddo ef a'i wraig Marie i alw i'w gweld petaen ni'n digwydd ymweld â'r ddinas. Dyma ni'n gwneud. Doedd e ddim wedi sylweddoli nad oedd ganddon ni arian, felly dyma ni'n cael codi pabell yn ei ardd gefn.

Diolch i Christie, fe wnaethon ni ddechrau derbyn galwadau i berfformio. Daeth gwahoddiad gan Bord Fáilte, sef Bwrdd Croeso Iwerddon i groesawu ymwelwyr i Ddinas Corc, yn cynnwys perfformiadau yng ngwesty Silver Springs gyda'r canwr Seán Ó Sé. O'i glywed yn canu caneuon mewn Gwyddeleg, dyma ninnau'n penderfynu dysgu caneuon Gwyddeleg.

Cork Evening Echo 1968

Don't Miss the
Radio and TV
All Stars
Dance At
Arcadia
MONDAY NEXT
9–1 a.m.
Admission 6/-
Music by
THE
REGAL
Appearing in Person are
BRENDAN BOWYER
TOM DUNPHY
PAT LYNCH
LARRY
CUNNINGHAM
AND INTRODUCING
THE HENNESSYS
A new, exciting Ballad
Group from Wales

COPPER KETTLE
MIDLETON
TONIGHT (Friday)
by popular request
THE HENNESSYS
(from Cardiff)

CON BUCKLEYS BAR AND
LOUNGE,
60, Gt. William O'Brien St.
presents TOMORROW (TUESDAY) NIGHT
THE HENNESSYS
The big hit at the Crosshaven Beer Festival Last Week
— Back Again By Popular Demand —

THE HENNESSEYS
FROM CARDIFF
ALL THIS WEEK-END AT
Twenty-one Lounge Bar
GILLABBEY STREET
ON TONIGHT (SAT.), SUNDAY AFTERNOON
from 4.0 to 6.0 AND ON MONDAY NIGHT
Three Sessions With The Fantastic Hennesseys

COMMODORE
HOTEL, COBH
WEEKEND ATTRACTIONS:
CABARET AND
SING SONG
in our BAKER'S ROOM
FRIDAY
THE BARDS
(Ballads)
Saturday
THE HENNESSYS
and
THE SULLIVANS
Sunday
THE HENNESSYS
Our own resident pianist will
entertain each night.
Sandwiches served every night.
Cover Charge 2/6
The hotel has got ideal
function rooms for club dinner
dances, weddings and parties.
Telephone 811277

COMMODORE
HOTEL, COBH
THIS WEEK'S ATTRACTIONS
CABARET AND
SING SONG
in Our BAKERS ROOM
LAST APPEARANCE IN
IRELAND
THE HENNESSYS
(From Cardiff)
Thursday—Friday—Saturday
and Sunday of this week

PAVILION RESTAURANT
Saturday Night
FOUR-COURSE DINNER
10/6
ENTERTAINMENT:
"THE HENNESSY'S"
(From Cardiff)
1967 winners Welsh Eisteddfodd
1968 winners Ardmore Ballad
Festival
FULLY LICENSED BAR
Restaurant open 10.30 a.m.—
11 p.m.

Con Buckley's Bar
and Lounge
Gt. Wm. O'Brien Street
presents for first time in Cork
direct from Cardiff
THE HENNESSYS
Winners Northern Ireland Ballad
Festival and Waterford Ballad
Festival at Ardmore
Visitors Welcome

CON BUCKLEY'S
BAR AND LOUNGE
60 Great William O'Brien Street
Presents TONIGHT (Tuesday)
THE HENNESSYS
From Cardiff.
—Remember last Tuesday
night—
So come early to hear
"The Group that is heading
for the top".

Hysbysebion yn rhestru digwyddiadau yn Ninas Corc yn 1968

Roedd brawd Marie Whitnell, John O'Hanlon, yn athro Gwyddeleg ac fe ddysgodd i ni nifer o ganeuon yn cynnwys 'Bouchaill on Erne'. Rwy'n dal i'w chanu hyd heddiw. Ac fe fedra' i gofio un pennill a chytgan un o ganeuon mwyaf llwyddiannus Seán Ó Sé, 'An Poc ar Buile.'

Fe wnaethon ni dreulio'r misoedd nesaf yn perfformio ar lwyfannau a bariau tafarnau o gwmpas y ddinas. Un o'n ffefrynnau oedd bar Donie Mac yn Barrack Street. Ar ddiwedd pob gig fe wnâi Donie ein gwahodd am ddiod yng nghegin ei dafarn gyda'r esgus ei fod yn trafod ein taliadau tra byddai ei wraig yn clirio'r bar. Yr hyn na wyddem oedd bod Donie wedi ei wahardd gan ei wraig rhag yfed. Ond roedd ganddo fesurau o wisgi wedi eu cuddio yma ac acw, a phan fyddai ei wraig yn brysur, byddai'n eu hyfed ar y slei. Byddai gwydraid o wisgi'n cuddio y tu ôl i lyfrau, y tu ôl i'r soffa ac ar un adeg y tu mewn i'w set deledu. Wn i ddim a gafodd erioed ei ddal.

Fe ddaethom yn gyfarwydd â'r drefn o berfformio mewn bariau yn ninas Corc a'r cyffiniau. Ymhlith ein ffefrynnau roedd Bar Mick Allen yn Riverstick, tuag wyth milltir o'r ddinas ar ffordd Kinsale sef The Copper Kettle yn Midleton lle byddem yn perfformio bob nos Wener. Un arall oedd Bar a Lolfa Con Buckley yn ardal Blackpool o'r ddinas. Byddem yn canu yn y Commodore yn Cobh yn rheolaidd. Un tro cawsom ein hunain yn canu i neb llai na'r Taoiseach.

Digwyddodd hyn wedi i ni dderbyn gwahoddiad i ddiddanu mynychwyr cynhadledd plaid Fianna Fáil yn y Sunset Ridge Motel ger Blarney. Y gŵr gwadd oedd y Taoiseach, Jack Lynch. Bryd hynny byddem yn cloi'n perfformiad gyda fersiwn o'r gân 'Did You Ever See' gan addasu'r pennill olaf ar gyfer yr achlysur. Y noson honno fe wnaethom ganu:

Well I had a cousin Jack
He was once a great full back
He played hurling and football
Now he's sitting in the Dáil.
Did you ever see ...

Roedd Jack Lynch wedi bod yn enwog yn y byd chwaraeon mewn hyrling a phêl-droed Gwyddelig. Mewn hyrling enillodd bum teitl cenedlaethol ac un ym maes pêl-droed Gwyddelig. Er mai chwaraewr canol cae oedd Jack, hoffodd y pennill. Cawsom dynnu'n llun yn ei gwmni a gwahoddodd ni am ddiod yn nhawelwch y bar cefn. Ni fu'n dawel yn hir iawn! Teimlad braidd yn bisâr oedd cael tri mewnfudwr anghyfreithlon yn yfed Murphys yng nghwmni'r Taoiseach cyn ymuno i ganu am

Yr Hennessys gyda'r Taoiseach Jack Lynch

gampwr Gwyddelig arall o Gorc, 'The Bold Thady Quill'! Roedd ei ofalwyr yn eistedd yno braidd yn ddiflas gan sipian sudd oren. Cawsom yr argraff eu bod wedi clywed Jack yn ei chanu rai troeon o'r blaen!

Ymhen mis neu ddau, dechreuodd y tywydd oeri. Dyma ni felly yn symud i garafán y gwnaeth Billy Whitnell, tad Christy, ei ganfod i ni ar Faes Carafanau O'Sullivan yn ardal Togher o Ddinas Corc. O edrych yn ôl, dydw i ddim yn cofio i ni dreulio fawr iawn o amser ynddi yn ystod y dydd. Byddem yn troi am y ddinas, yn enwedig felly adeg cinio. Fe wnaethon ni ganfod caffi rhwng y South Mall ac Oliver Plunkett Street - Princess Street, os gofia i'n iawn,. Ei enw oedd Lily's Cafe. Roedd ar yr ail lawr ac roedd y pryd tri chwrs di-drimins yn rhad. Byddai bwyta allan yn ffordd o osgoi coginio a golchi llestri. Yn wir, doedd gweithgareddau domestig ddim yn dod yn naturiol i ni. Fe haerodd Frank unwaith fod ein carafán ni mor anniben fel i'r sipsiwn gwyno amdanom wrth y Cyngor!

Roedden ni'n perfformio bron bob nos, ac ar adegau yn gwneud wyth gig yr wythnos. (Prynhawn Sul fyddai'r wythfed.) Ond chwech fyddai'r nifer arferol.

Roedd yn waith caled, a disgwylid i ni berfformio am tua dwy awr ym mhob sesiwn. Golygodd hyn i ni ehangu ein repertoire o drigain o ganeuon i tua thri chant. Ar ein nosweithiau rhydd prin, byddem yn treulio'n hamser naill ai yn The Tower Bar, sef tafarn Billy Whitnell, neu yn The Swan & Cygnet ar Patrick's Street ger y bont, bar Jim Clancy a'i fab. Jim oedd ei enw yntau. Unig anfantais yfed ym mariau canol y ddinas oedd y ffaith y byddent yn cau rhwng 2.30 a 3.30 ar gyfer yr hyn a elwid 'Yr Awr Sanctaidd'. Bodolai'r rheol hon mewn cylch o dair milltir o ganol y ddinas. Yr ateb oedd gyrru i far oedd y tu allan i'r cylch gwaharddedig. Ein dewis far yn ystod yr Awr Sanctaidd oedd y South County yn Douglas.

Un dydd, a ninnau ar y ffordd yno yng nghwmni Billy Whitnell dyma ddod i stop ar gyffordd lle'r oedd Garda yn cyfeirio'r drafnidiaeth. Digwyddai'r plismon fod yn un o selogion bar Billy, sef gŵr o'r enw Justin. Gofynnodd i Billy i ble oedd e'n mynd? Esboniodd hwnnw ei fod e'n mynd fyny i'r South County am beint.

'Damn,' meddai Justin, 'I could murder a pint!' A dyma fe'n agor un o ddrysau cefn y car a gwthio'i ffordd i mewn atom.

'What about the traffic?' gofynnodd Billy.

Ateb Justin, yn ei iaith flodeuog ei hun oedd, 'Feck 'em! They can look after themselves!'

Câi nos Lun ei disgrifio gan y gwahanol fandiau fel 'the musicians' night off'. Anaml iawn y gwnâi unrhyw fand berfformio ar y Llun. O ganlyniad byddem yn cyfarfod yn y Swan bob dydd Llun i jamio. Byddai offerynnau o bob math yn hongian ar fachau ar waliau'r bar, hyd yn oed bas dwbwl.

Cusanu Carreg Blarney yn 1968

Cychwynnai'r sesiwn amser cinio fel arfer ac fe wnâi barhau tan amser cau yn hwyr y nos. Weithiau, adeg yr Awr Sanctaidd, fe wnaem symud allan i chwarae ar y pafin gan ddal i chwarae nes i'r bar ail-agor.

Roedd yna gryn gymeriadau ymhlith yr offerynwyr. Un yn arbennig oedd y chwaraewr bas jazz, Buddy Doran. Un arall oedd Tadhg Foley, un o ffyddloniaid pantomeim Tŷ Opera Corc. A Harry Connolly, a chwaraeai'r ffliwt yn y sesiynau, aelod o fand o'r enw The Vards. Byddem, yn dilyn yr Offeren, yn troi am y Swan bob amser cinio ar ddydd Sul.

Byddai bywyd yn y garafán yn oer a llaith ar y gorau, a ninnau'n cyrchu'n syth at y tanllwyth tân yn y bar. Wrth i ni sefyll yno yn y gwres byddai stêm yn codi o'n dillad. Un dydd Sul daeth Buddy i mewn a'n gweld ni'n sefyll yno â'n cefn at y tân. A meddai,

'Jaysus, it's just like hell in here. You can't see the fire for Welshmen!'

3.

BLOWIN' IN THE WIND

Bob Dylan

How many roads must a man walk down
Before you call him a man?
Yes, 'n' how many seas must a white dove sail
Before she sleeps in the sand?
Yes, 'n' how many times must the cannonballs fly
Before they are forever banned?
The answer, my friend, is blowin' in the wind,
The answer is blowin' in the wind

How many years can a mountain exist
Before it's washed to the sea?
Yes, 'n' how many years can some people exist
Before they're allowed to be free?
Yes, 'n' how many times can a man turn his head
And pretend that he just doesn't see?
The answer, my friend, is blowin' in the wind,
The answer is blowin' in the wind

How many times must a man look up
Before he can see the sky?
Yes, 'n' how many ears must one man have
Before he can hear people cry?
Yes, 'n' how many deaths will it take till he knows
That too many people have died?
The answer, my friend, is blowin' in the wind,
The answer is blowin' in the wind

Y 'Central Boys Club' ar gornel Bute Terrace a Heol Bute yn yr 1960au – yr olygfa o gyfeiriad Custom House Street.
Ar y gornel ar y chwith (y tu ôl i'r tri dyn) mae tafarn y Golden Cross.

Pwy feddyliai fod Bob Dylan wedi bod yn rhan o'n ffurfiant ni fel band! Ond mae'n wir. Canu clasur Bob, 'Blowin in the Wind' mewn eisteddfod wnaeth roi cychwyn i ni.

Er mai yn 1966 y daeth yr Hennessys i fodolaeth, mae'r syniad o sefydlu band yn mynd yn ôl i gyfnod y clwb ieuenctid lleol, y Central Boys Club y soniais amdano eisoes.

Paul, peintiwr ac addurnwr gyda'r Cyngor oedd y cyntaf ohonom ni'n tri i ymuno â'r clwb. Roedd gan Paul nifer o ddiddordebau. Ond ei brif ddiddordeb oedd codi pwysau. Treuliai lawer o'i amser yn ymarfer y gamp gyda Kum Chung Weng, brodor o Malaysia, gyrrwr bysus ac enillydd Medal Arian ym Mabolgampau'r Gymanwlad yng Nghaerdydd yn 1958.

Câi pob codwr pwysau asesiad gan Gymdeithas Codi Pwysau Cymru. Caent darged i anelu ato gyda'r pwysau y byddai disgwyl iddynt ei godi wedi ei seilio ar eu pwysau corfforol. Roedd Paul yn medru codi pwysau oedd lawer yn uwch na'r targed a osodwyd iddo. Gallasai fod yn bencampwr yn ei ddosbarth ond doedd ganddo ddim diddordeb mewn cystadlu. Pleser oedd codi pwysau iddo yn hytrach na champ gystadleuol.

Roedd ganddo ddiddordeb mewn arlunio hefyd. Roedd darlun o'i waith yn dangos teulu'n cael eu troi allan adeg y Newyn Mawr yn hongian ar wal stafell gelf y clwb. Medrai droi ei law at waith coed hefyd. Lluniodd ei gitâr ei hun, offeryn pedwar tant wedi ei thiwnio i gord agored.

Fi oedd y nesaf o'r tri ohonom i ymuno â'r clwb. Ar y pryd roeddwn i'n gweithio mewn cyfnewidfa ffôn i'r GPO ac yn chwarae rygbi i dîm St David's Old Boys. Gyrfa fer a di-nod fu hi o ran rygbi. Fy uchafbwynt fu cael mynd ar daith dros benwythnos y Pasg i Ddinas Corc yn ystod wythnos 'Croeso Cymru'. Wythnos oedd hon pan fyddai pobl Corc yn croesawu timau rygbi a phêl-droed, corau a gwahanol fudiadau eraill o Gymru i gystadlu, perfformio a mwynhau. Hwn oedd fy ymweliad cyntaf â'r 'Hen Wlad', fel y byddem yn cyfeirio ati. Hyd yn oed yn fwy cyffrous oedd y ffaith mai hon fyddai fy nhaith gyntaf erioed mewn awyren.

Ond yn wir, roedd crwydro drwy Ddinas Corc yn union fel bod adref wrth i ni gyfarfod ar y stryd â bechgyn o glybiau chwaraeon eraill o Gaerdydd fel St Joseph's, St Peter's a St Alban's.

Roeddem yno i chwarae dwy gêm, y naill yn erbyn Sundays Well a'r llall yn erbyn Highfields. Roedd fy nghyfaill Roy Allen yn chwarae yn safle prop ond gwelwodd pan glywodd mai'r ddau brop a fyddai'n chwarae yn ei erbyn dros Sundays Well fyddai'r brodyr Phil a Mick O'Callaghan. Roedd Mick yn chwaraewr rhyngwladol. Roeddwn i'n chwarae (neu'n cuddio) ar yr asgell, felly medrwn gadw allan o'r frwydr.

Yn dilyn un o'r gemau roeddwn i wrthi'n yfed a sgwrsio gyda mewnwr y tîm Gwyddelig. Dyma hwnnw'n cyfeirio at grŵp gwerin newydd yr oedd pawb yn siarad amdanynt ar y pryd. Cyn gadael felly, rhaid fu prynu eu record. Enw'r sengl oedd 'The Wild Rover' a'r band oedd y Dubliners. Ar ochr arall y record roedd alaw offerynnol draddodiadol o'r enw 'Roisin Dubh'. Wedi i mi gyrraedd adre fe wnes i chwarae'r gân honno drosodd a throsodd. Gyda Barney McKenna'n chwarae'r mandolin, hyn wnaeth fy ysbrydoli i droi at y mandolin fy hunan.

Yn ôl yng Nghlwb y Bechgyn fe wnaeth Paul a minnau ymhlith aelodau eraill wirfoddoli i gynorthwyo yng nghyfarfodydd misol y Gymdeithas Sglerosis Ymledol yn Ysbyty Brenhinol Caerdydd. Yn y cyfarfodydd hyn byddai dioddefwyr MS yn dod ynghyd ac yn trafod eu gwahanol anghenion a chael cyfle i gymdeithasu yr un pryd. Byddai Paul a minnau'n helpu gyda'r bwyd ac yn cynorthwyo rhai o'r mynychwyr oedd â phroblemau cerdded drwy eu gwthio yma ac acw yn eu cadeiriau olwyn ac yn ôl ac ymlaen o'u ceir i'r ysbyty.

Un dydd dyma ddod â gitâr Paul gyda ni a dechrau cyflwyno ambell gân Wyddelig roedd y ddau ohonom wedi dechrau eu canu gyda'n gilydd. Yna dyma'n cyfaill Roy Allen oedd yn gweithio yn BERL (British Electrical Repairs Ltd) yn digwydd dweud fod prentis yn y gwaith oedd yn gitarydd ac yn hoffi canu caneuon Gwyddelig. Awgrymodd y dylem ei wahodd i'r clwb am sgwrs. A dyma ni'n cyfarfod â Frank, oedd yn byw yn Rhymni, am y tro cyntaf.

Dyma ni'n dechrau canu gyda'n gilydd. Fe asiodd ein harmonïau mor dda fel i ni ddechrau chwarae a chanu yn rheolaidd yn y clwb. Nid yn unig hynny, ond o adael y clwb byddem yn mynd ymlaen i berfformio mewn tafarnau cyfagos, er mai Paul oedd yr unig un ohonom oedd yn ddigon hen i yfed yn ôl y gyfraith.

Y drws nesaf i'r clwb roedd tafarn y Glastonbury Arms. Cyfeirid ati fel 'The White House' am fod ei ffasâd yn wyn. Atynfeydd eraill oedd y Tredegar Arms yn Bute Terrace, y Queen's Head yn Bridge Street, y Vulcan yn Adam Street a'r Panorama yn David Street, a ddaeth yn dafarn leol i ni, fel y nodais eisoes.

Roedd Frank ar y pryd yn aelod o fand lleol, The Rocking BJ's (neu'r Rocking JB's? Fedrai ddim cofio p'un!). Fe wnes i ofyn i Frank o ble daeth yr enw ac fe esboniodd iddynt brynu cit drymio ail-law ac mai dyma oedd yr enw oedd arno! Frank oedd gitarydd blaen a phrif ganwr y band.

Byddai Paul a minnau'n mynychu perfformiad rheolaidd gan fand Frank yng Nghlwb Ceidwadol y Dociau bob nos Sadwrn. Yn ystod y toriad byddai Paul, Frank a minnau yn mynd i doiled y dynion i ganu caneuon Gwyddelig mewn tri llais. Roedd yr acwstics yn wych yno.

Ar ôl perfformio mewn gwahanol dafarnau am sbel fe wnaethon ni setlo ar y Panorama fel ein lleoliad rheolaidd. Byddem yn perfformio yno bob nos Wener ac o fewn ychydig wythnosau daethom yn fwyfwy poblogaidd. Daeth ein perfformiadau yn ddigwyddiadau rheolaidd a'n dilynwyr yn gorfod cyrraedd yn gynnar os am sicrhau eu lle. Gofalai'r tafarnwr croesawgar Con O'Sullivan a'i wraig Maureen y byddai llifeiriant o ddiodydd yn dod i ni dros y cownter!

Yn y Panorama y bedyddiwyd ni fel band. Un dydd daeth ffrind i'r teulu, Danny O'Brien i mewn i'r bar a'n hysbysu iddo drefnu gig i ni yng Nghlwb Rygbi St Joseph's i berfformio i aelodau Clwb Athletau Gaeleg (GAA) St Collmcille.

'Maen nhw am glywed llwyth o ganeuon Gwyddelig,' meddai Danny. 'Fe wnaethon nhw ofyn am eich enw fel band i'w roi ar y bwrdd hysbysebion. Fe wnes i'ch galw chi'n The Hennessy Boys am ei fod e'n swnio'n Wyddelig.'

Fe gydiodd yr enw ond fe wnaethon ni ollwng y 'Boys' yn o fuan. Yn y cyfamser fe wnaethon ni blesio Clwb Colmcille i'r fath raddau fel i ni ddod yn atyniad rheolaidd yno bob nos Iau am ddwy flynedd ar gyfer noson Wyddelig St Joe's.

Un dydd yn y Central Club fe ofynnwyd i ni gan y rheolwr, John Watkins a fyddai ganddon ni ddiddordeb mewn cystadlu yn Eisteddfod Ieuenctid Caerdydd. Byddem yn cystadlu yn erbyn clybiau eraill ac ysgolion lleol am y fraint o gynrychioli'r clwb mewn cyngerdd mawreddog yn y Theatr Newydd, digwyddiad o'r enw 'Spotlight on Youth'. Dyma dderbyn y gwahoddiad ar unwaith a dewis cân ar gyfer y gystadleuaeth. Fe wnaethom benderfynu ar anthem fawr Bob Dylan, 'Blowin in the Wind'.

Ie, ni wnaeth ennill gan gael y fraint o berfformio yn y Theatr Newydd. A dyna fu cychwyn yr Hennessys. Mae arnom ddyled fawr i Bob Dylan felly. Ond dydi e ddim yn sylweddoli hynny!

4.

MAE'N WLAD I MI

Woody Guthrie
Addasiad Dafydd Iwan

(Cytgan)

Mae'n wlad i mi ac mae'n wlad i tithau,
O gopa'r Wyddfa i lawr i'w thraethau,
O'r De i'r Gogledd, o Fôn i Fynwy,
Mae'r wlad hon yn eiddo i ti a mi.

Mi fûm yn crwydro hyd lwybrau unig,
Ar foelydd meithion yr hen Arennig,
A chlywn yr awel yn dweud yn dawel,
'Mae'r wlad hon yn eiddo i ti a mi.'

(Cytgan)

Mi welais ddyfroedd Dyfrdwy'n loetran,
Wrth droed yr Aran ar noson loergan,
A'r tonnau'n sisial ar lan Llyn Tegid,
'Mae'r wlad hon yn eiddo i ti a mi.'

(Cytgan)

Mae tywod euraidd ar draeth Llangrannog
A'r môr yn wyrddlas ym mae Llanbedrog:
O dan yr eigion mae clychau'n canu,
Mae'r wlad hon yn eiddo i ti a mi.'

(Cytgan)

Tafarn y Queen's Head yn Bridge Street

Pan wnaethon ni gyrraedd nôl o Iwerddon yn hwyr un prynhawn dydd Gwener ganol mis Ionawr 1969, fe alwodd Paul a finne yn y Panorama. Yno roedd newyddion trist yn ein haros. Clywsom fod George, tafarnwr un arall o'n hoff fariau, The Queen's Head, wedi marw ac y câi'r angladd ei gynnal ar y dydd Llun canlynol.

O edrych drwy'r colofnau marwolaethau yn y *South Wales Echo* dyma ddeall y byddai'r angladd yn codi o'r dafarn yn ystod yr awr ginio. Fe wnaethon ni benderfynu mynd yno'n gynnar i ddisgwyl y tu allan gan gymryd yn ganiataol y byddai'r dafarn ynghau. Ond wrth i ni gyrraedd dyma sylweddoli fod y lle nid yn unig ar agor ond ei fod hefyd yn llawn prysurdeb a bwrlwm. Bu'n rhaid i ni frwydro'n ffordd at y bar lle'r oedd gweddw George yn gweini y tu ôl i'r cownter. Fe wnaethon ni gydymdeimlo â hi wrth iddi osod peint yr un o'n blaen gan ein cyfarch:

'Mae'r rhain oddi wrth George.'

Wrth i ni droi oddi wrth y cownter dyma weld corff George yn gorwedd yn urddasol mewn arch agored ar bendraw'r bar wrth ymyl y bwrdd dartiau. Roedd gêm ar ei hanner rhwng dau alarwr tra bod y cwsmer oedd yn cadw'r sgôr yn pwyso ar yr arch wrth nodi'r rhifau â sialc ar y bwrdd du ar y wal. Codasom ein gwydrau llawn uwchben yr ymadawedig gyda'r cyfarchiad:

'Iechyd Da, George!'

Pan ganodd y gloch i nodi amser gadael ar gyfer y gwasanaeth angladdol fe ddaeth yr ymgymerwr i mewn a sgriwio clawr yr arch yn sownd. A bant â ni gyda'r galarwyr eraill i hebrwng George i'w orffwysfan terfynol.

Yn dilyn ein dychweliad o Iwerddon, buan y gwnaethon ni setlo lawr i'n bywyd blaenorol gan ailgychwyn cynnal sesiynau byw ledled y ddinas a'r cyffiniau. Roedd poblogrwydd canu gwerin ar i fyny gyda llawer o glybiau gwerin yn y ddinas erbyn hyn. Rwy'n cofio tua'r adeg hon mynd yng nghwmni fy mrawd i gyngerdd gan The McPeake Family yn Undeb y Myfyrwyr yn Dumfries Place ac i'r Estonian Club yn Charles Street i gyngerdd gan Dominic Behan.

Pan na fyddem yn perfformio'n swyddogol byddem yn chwarae er mwyn yr hwyl o wneud hynny mewn unrhyw far a fyddai'n fodlon rhoi llwyfan i ni. Byddai'r tafarnau a fynychem yn llawn cymeriadau gwreiddiol. Yn eu plith roedd The Queen's Head yn Bridge Street, The London Style yn Grangetown, The Locomotive yn Broadway a thafarn leol Paul, The Vulcan yn Adam Street. Mae'r Vulcan wedi ei dymchwel ond yn cael ei hailadeiladu erbyn hyn yn Amgueddfa Werin Cymru yn Sain Ffagan fel enghraifft o dafarn draddodiadol Gymreig.

Mae gen i atgofion cynnes hefyd o ambell sesiwn dda yn The Old Arcade yn Church Street. Roedd yna stafell fyny'r grisiau lle cynhelid clwb gwerin yn wythnosol ac a ddefnyddid hefyd fel man cyfarfod i wahanol fudiadau. Flynyddoedd yn ddiweddarach roeddwn i'n sgwrsio â Phrif Weinidog y Cynulliad (neu'r Senedd erbyn hyn) Rhodri Morgan. Cofiai'n dda sut y byddai ef a Neil Kinnock ac eraill yn mynychu cyfarfodydd y Blaid Lafur yno gan ruthro drwy'r agenda er mwyn cael mynd lawr i'r bar cefn i wrando ar y miwsig. Roedd y ddau yn astudio yn y Brifysgol ar y pryd ac yn weithredol iawn gyda'r Blaid Lafur.

Un o'n hoff fannau cyfarfod oedd The Marchioness of Bute lle byddem yn perfformio'n aml yn y clwb gwerin a gynhelid yno. Hwn oedd un o glybiau gwerin mwyaf llwyddiannus Cymru, a bodolodd am nifer o flynyddoedd. Gelwid y lle yn 'Dublin's' ar lafar, hynny'n cyfeirio at y ffaith fod y tafarnwr, Albert Moran, cymeriad lliwgar, yn dod o Ddulyn. Llwyddai Albert i ddenu perfformwyr gwerin o fri i'r clwb. Gwahoddai ni yno'n rheolaidd ac ef oedd un o'r rhai cyntaf i roi llwyfan i'r Max Boyce ifanc.

Bu ffawd yn garedig iawn wrthon ni. Yn dilyn gwrandawiad ar gyfer y BBC daethom yn ffrindiau â'r chwedlonol Rhydderch Jones, fel y nodais yn y bennod flaenorol. Roedd Rhydderch yn gyfarwyddwr rhaglenni yn Adran Adloniant Ysgafn y Gorfforaeth. Roedd wedi bod yn athro ysgol yn Llundain ac roedd gen i deimlad ei fod yn ystyried fod ein cynghori ni'n gerddorol i ganu caneuon Cymraeg yn rhyw fath o her i'w allu fel athro.

Yng Nghymru ar y pryd roedd rhaglen bop Gymraeg wedi cychwyn ar Deledu'r BBC yn 1967 sef Disc a Dawn. Er iddi gael ei hybu fel llwyfan i'r sîn bop Gymraeg, byddai'n llwyfannu hefyd artistiaid a grwpiau a ystyrid, mewn gwirionedd, yn artistiaid gwerin. Rhydderch oedd yn cyfarwyddo'r rhaglen, a ddarlledid am awr yn gynnar bob nos Sadwrn.

Ymhlith y mwyaf poblogaidd ymysg y cyfranwyr oedd Meic Stevens, Heather Jones, Iris Williams, Huw Jones a Dafydd Iwan. Roedd – ac y mae – Meic o Solfa yn ne Sir Benfro yn gyfansoddwr cynhyrchiol iawn, a hynny yn arddull cantorion-gyfansoddwyr Americanaidd blaenllaw'r cyfnod fel Phil Ochs, John Prine a Bob Dylan. Mae gan Heather, a berfformiodd hefyd fel un o driawd gyda Meic a Geraint Jarman fel Y Bara Menyn, lais pur, clir a chryf o hyd. Roedd clasur Huw, sef 'Dŵr', yn gân o brotest yn erbyn boddi Tryweryn. Roedd Dafydd ar flaen y gad ym mrwydr yr iaith, ac yn cyfansoddi ei ganeuon protest ei hun.

Disc a Dawn 1969

Byddai Dafydd hefyd yn addasu caneuon sêr rhyngwladol, yn cynnwys 'Mae'n Wlad i Mi', sef addasiad o gân enwog Woody Guthrie, 'This Land is Your Land'. Pan ymddangosodd y gân gyntaf yn 1940, fe'i cofleidiwyd yn America fel cân wladgarol. Ond na, yr hyn ydi hi mewn gwirionedd yw condemniad o'r gyfundrefn Americanaidd.

Beth bynnag, fe wnaeth Rhydderch chwarae addasiad Dafydd o 'This Land is Your Land' i ni. Fe'i recordiwyd gan Dafydd ac Edward Morus Jones yn 1966. Awgrymodd Rhydderch y byddai'n gân addas i ni gan fod ganddon ni eisoes rai caneuon Americanaidd yn ein repertoire. Dyma ni'n mynd ati felly i ddysgu geiriau 'Mae'n Wlad i Mi'. Doedden ni ddim yn cychwyn gyda dalen wag gan i ni dderbyn gwersi Cymraeg yn yr ysgol fach. Roedd ganddon ni felly grap ar ynganiad geiriau Cymraeg. Ond ar wahân i'r Anthem Genedlaethol ac 'Oes Gafr Eto?', ychydig iawn o ganeuon Cymraeg oedd wedi gwneud argraff arnom.

Yn anffodus, yng Nghymru'r Pumdegau roedd bod yn athro Cymraeg yng Nghaerdydd yn gyfystyr â gwneud gwaith cenhadwr mewn rhyw gornel pellennig o'r Ymerodraeth Brydeinig. Roedd hi'n swydd oedd yn gofyn am gyfuniad o sêl cenhadol a ffydd dall, a chredaf y byddai fy hen athro Cymraeg wedi ystyried y ffaith i mi ddysgu unrhyw beth o gwbwl yn ganlyniad cadarnhaol ac yn bluen enfawr yn ei het.

Cofiaf yn ddiweddarach mewn bywyd i mi sylweddoli'r ffaith i ni yn ein hysgol gynradd ni, St David's, gael diwrnod bant ar Ddydd Gŵyl Sant Padrig ond hanner diwrnod yn unig ar Ddydd Gŵyl Dewi. Ond er mor dderbyniol fyddai cael diwrnod bant, roedd yna un anfantais sylweddol. Ar Ddydd Gŵyl Sant Padrig byddai disgwyl i ni fynd i'r Offeren lle byddai'r offeiriad yn rhannu dail siamroc oedd wedi eu danfon iddo o Iwerddon. Ac fe ddeuai'r gath allan o'r cwd pe gwelid chi heb fod yn gwisgo siamroc. Byddai pawb wedyn yn sylweddoli na wnaethoch chi fynychu'r Offeren!

Fe wnaethon ni ddysgu geiriau'r gân mewn dim o dro. Ac fe'n gwahoddwyd i berfformio ar Disc a Dawn. Hwn fyddai ein hymddangosiad cyntaf erioed ar deledu. Ond ddim felly yr aeth pethau. Cawsom rihyrsal ar ddydd Gwener, Chwefror 20fed 1969. Roedd y rhaglen i fynd allan trannoeth yn fyw. Ond yn dilyn y rihyrsal dyma wahoddiad i ni berfformio'r gân ar raglen 'Heddiw' y noson honno. Golygai hynny mai ar raglen newyddion a materion cyfoes y gwnaethom ni ymddangos gyntaf yn canu ar deledu! Rhaid bod y diwrnod hwnnw wedi bod yn arbennig o hesb o ran newyddion!

Yn ystod haf 1969, cawsom wahoddiad gan Recordiau Cambrian i wneud record, ac ar Fehefin 1af cawsom ein hunain yn gyrru am Lundain i recordio'r albym. Ymddangosai fel petai'r cyfan o'r drafnidiaeth yn dod i'n cyfarfod a mynd i'r cyfeiriad arall. Pam? Wel, i ddyfynnu Ryan Davies roedd hwn yn ddiwrnod y 'Transvestiture'.

Roedd y stiwdio recordio uwchben canolfan cwmni Boosey and Hawkes, siop gerdd enwog yn Bond Street. Wrth i mi

Cardiff Mirror 1969.

Music in Cardiff

The Hennessys, the folk group from Cardiff, will be appearing in 'Disc a Dawn' the BBC Wales Television Welsh language pop and folk programme on Saturday, December 20th.

Eighteen months ago, Paul Powell, Dave Burns and Frank Hennessy, left their jobs in Cardiff and became a professional folk group. They moved to Cork in the Republic of Ireland living rough in a tent. Gradually as they became more successful they moved into a caravan and later into a lodging house!

All three have their roots deep in the soil of Ireland—hence the rich mixture of Cardiff and Irish accents. Most of their songs are of the Irish rebel variety but they have now built up a useful repertoire of Welsh songs which ensures them a fairly regular number of appearances on such programmes as 'Disc a Dawn'. In fact they sing in Welsh, Irish and English!.

Before taking to singing professionally Frank was an electrician, Dave worked in an office and Paul was a decorator. Now Frank plays the guitar, Dave the mandolin and Paul the banjo. Dave, who is the principal vocalist is often mistaken for disc-jockey Tony Blackburn. The ambition of The Hennessys is to become so famous that Tony Blackburn will be mistaken for Dave Burns.

The Hennessys. Left to right, Paul Powell, Dave Burns, Frank Hennessy.

Cardiff Mirror '69

Clawr record 'The Road and the Miles'!

edrych yn ôl, mae'r broses gyfan yn ymddangos yn gyntefig gyda'r tri ohonom ynghyd â Derek Boote wedi ymgasglu o gwmpas un meicroffon a chael gorchymyn i 'ganu bant!' Fe wnaethon ni recordio'r cyfan mewn diwrnod, cyfanswm o ddeunaw o ganeuon. Byddai pymtheg yn mynd ar yr albym a thair cân dros ben felly rhag ofn y byddai eu hangen. Rhyw fath o insiwrans rhag ofn.

O hynny ymlaen bu'n fater o ddisgwyl, ynghyd â gwneud galwadau ffôn dyddiol a dirifedi i Cambrian wrth geisio cael y record wedi ei rhyddhau i'r siopau ac i'r cyfryngau. Tynnwyd y llun ar gyfer y clawr ar Fynydd Caerffili, llun o'r tri ohonon ni'n cerdded lawr y ffordd. Doedd dim byd i'w wneud wedyn ond eistedd nôl a disgwyl.

Ond pan gyrhaeddodd y record o'r diwedd, gwelsom fod Cambrian wedi gwneud traed moch o bethau. Dyma sylweddoli ar unwaith fod i'r record ddau deitl gwahanol. Ar y cefn roedd y teitl a fwriadwyd, sef 'The Road and the Miles', enw un o'r caneuon sef baled draddodiadol o'r Alban. Ond ar y clawr blaen, mewn llythrennau bras uwchben y llun cafwyd 'Down the Road'. Pan wnaethon ni dynnu sylw Cambrian at hyn, dyma'r ymateb:

'Well I looked at the picture, you see, and there you were, bach, walking down the road!'

Ond nid dyna'r unig dro trwstan. Fe wnaethon nhw hefyd lwyddo i gawdelu teitl y gân 'Take it Down From the Mast', cân rebel o 1923 gan James Ryan, gan ei henwi yn 'Hoist Down the Flag'. Ie, 'Hoist Down'! Dyna i chi enghraifft dda o gamddefnydd creadigol o'r iaith Saesneg!

Roedden ni wedi disgwyl mor hir am ymddangosiad y record fel i ni dderbyn y clawr fel yr oedd er gwaetha'r gwallau heb fynnu unrhyw newid na chywiro dim. Ond hyd yn oed heddiw, 52 mlynedd yn ddiweddarach, mae pobl yn dal i ddweud gymaint wnaethon nhw fwynhau'r albym.

5.

A DDAW YN ÔL?

(Jacqueline Steiner a Bess Lomax Hawse
Addasiad Rhydderch Jones)

O gwrandwch ar fy stori am y gŵr John Wili
Ar ryw ddydd o grwydro'n ffôl,
Rhoddodd swlltyn yn ei boced
Ac aeth am dro i garu
Ar y trên na ddaeth yn ôl.

(Cytgan)

A ddaw yn ôl i'r fei? A ddaw yn ôl i'r fei?
Beth oedd ffawd a hynt yr hen foi?
Mae o ar ei ffordd i ebargofiant
Heb ta-ta, twdl-ŵ na gwdbai.

O beth ddaeth drosto ac i ben yr hen gono
Ac yntau wedi ffwndro'n lân?
Mynd i chwilio am hogan
Heb nemor ddim arian,
A chalon yr hen foi ar dân.

(Cytgan)

Fe aeth dros y gorwel heb air o ffarwel
A dyna'r ola glywsom ni,
Ac mae sôn am hynny
O Fôn i Fynwy
Ond does neb wedi clywed si.

(Cytgan)

Falle'i fod yn farw mewn lle go arw,
Neu mewn ffair yn Timbyctŵ,
Falle'i fod yn hongian
Wrth gortyn ar goedan
Yn canu cân y gwdihŵ

(Cytgan)

Disc a Dawn 1969

Rwy am oedi yn 1969, cyfnod braidd yn gymysglyd wrth edrych yn ôl gan i ni ddysgu cymaint o ganeuon y flwyddyn honno, yn enwedig caneuon Cymraeg. Roedd rheiny'n amrywio o ganeuon traddodiadol i ganeuon Saesneg wedi eu haddasu o'n repertoire o ganeuon Gwyddelig. 'A Ddaw yn Ôl?' oedd un o'r caneuon cyntaf i'w haddasu gan Rhydderch Jones, a hynny ar gyfer ein albym cyntaf.

Addasiad o gân Americanaidd yw hon, cân a gyfansoddwyd yn 1949 gyda'r teitl 'The Ballad of the MTA'. Cai ei hadnabod hefyd fel 'Charlie on the MTA'. Cân brotest ddoniol yw hi yn erbyn Awdurdod Teithiol Metropolitan Boston oedd yn gweithredu system drenau tanddaearol y ddinas ar y pryd gan godi'r costau teithio byth a hefyd. Yn y gân mae Charlie yn dal y trên. Ond erbyn iddo gyrraedd pen y daith mae pris y tocyn teithio wedi codi i'r fath raddau fel na all fforddio talu. O'r herwydd ni chaiff adael y trên, a'i dynged yw mynd rownd a rownd yn ddiderfyn am weddill ei oes. Dywed un pennill:

'Charlie's wife goes down to the Scollay Square station
Every day at a quarter past two,
And through the open window
She hands Charlie a sandwich
As the train goes rumbling through.'

Daeth y gân yn gymaint rhan o ffabrig y ddinas fel i Awdurdod Trafnidiaeth Boston enwi ei gyfundrefn talu trwy docyn electronig yn 'CharlieCard', hynny fel teyrnged i'r gân. Nôl yn 2004 fe wnaeth y cwmni trafnidiaeth MBTA, Awdurdod Trafnidiaeth Bae Massachusetts, gynnal seremoni dathlu'r dull hwn o dalu gan wahodd perfformwyr gwreiddiol y gân yno, sef The Kingston Trio.

Fel y nodais yn y bennod flaenorol, 1969 oedd y flwyddyn pan wnaethon ni ymddangos gyntaf ar Disc a Dawn. Fe wnaethon ni gyrraedd ar gyfer yr ymarfer mewn da bryd a chan ein bod ni yno mor gynnar, cyfeiriwyd ni tua'r cantîn i ni gael brecwast. A ninnau'n teimlo'n bwysig yno yng nghanol pobl fawr y BBC ac yn edrych ymlaen at blatied o frecwast cyflawn daeth fy nhro i yn y ciw i archebu. A dyma wên o adnabyddiaeth yn goleuo wyneb y ferch oedd yn gweini tu ôl i'r cownter.

'I know you! You're from Newtown!' medde hi.

A dyma hi'n troi at Paul oedd y tu ôl i mi a dweud:

'And you're from Sandon Place!'

Fe wnaethon ni gydnabod hynny. Dyma hi wedyn yn troi at y cwc yn y gegin a gweiddi dros bob man:

'Dripping on toast for these two!'

Wrth i ni gael mwy o wahoddiadau gan y BBC, fe wnaethon ni yn raddol ddechrau dod yn gyfarwydd â gofynion teledu ac fe gawson ni gynnig cryn dipyn o waith yn ystod y flwyddyn. Mewn ymddangosiad diweddarach ar Disc a Dawn roedden ni fod i ganu 'Ar Lan y Môr'. Gan fod y rhaglen yn cael ei darlledu yn fyw yn gynnar gyda'r nos fe fyddai'r ymarferion yn cychwyn am 10.00 y bore. Byddai hyn y cynnwys ymarfer shots camera, penderfynu ar y balans cerddorol a gwneud unrhyw addasiadau goleuo y byddai eu hangen. O ganlyniad doedd y stiwdio ddim yn un o'r mannau tawelaf na'r hawsaf o bell ffordd ar gyfer ymarfer (yn enwedig wedi ambell sesh go drom y noson cynt!).

Ond fe ddigwyddodd y peth rhyfeddaf y bore hwnnw. Wrth i ni ddechrau canu'r pennill agoriadol, fe wnaeth pawb o'r criw stopio gweithio, troi i wylio ac ymdawelu'n llwyr. Hynny'n union fel yr ymatebodd cwsmeriaid y Blue Anchor flynyddoedd yn gynharach pan glywson nhw gân Iori.

Wrth i'r gân ddod i ben, fe ddechreuodd y criw stiwdio gymeradwyo ac yna ymgasglu o'n cwmpas gan ddatgan gymaint wnaethon nhw fwynhau'r perfformiad. Un o'r rhai mwyaf brwdfrydig oedd Ted Hughes, gogleddwr o Gaergybi, os cofia i'n iawn. Daeth Ted yn ffrind agos a byddai'n cyfeirio'n aml at y digwyddiad.

Hon oedd y flwyddyn pan wnes i symud o gymdogaeth glòs a chynnes Newtown. Heddiw, dim ond un wal gerrig a rhan o un stryd sydd ar ôl o chwe stryd Newtown i atgoffa rhywun i'r ardal fodoli o gwbwl. Roedd yr ardal yn cael ei datblygu (neu'n hytrach ei chwalu) fel yr oedd ardal Paul yn Adamsdown. Yn wir, roedd Paul a'i fam eisoes wedi symud i Ogledd Llandaf. Cynigiwyd i ni fel teulu gartref newydd yn Pentrebaen yn ardal y Tyllgoed ar gyrion gorllewinol y ddinas ar stad o dai gymharol newydd.

Gan fod ein teulu ni yn deulu mawr, fe wnes i gynnig symud allan i ganiatáu mwy o le i'r lleill. Teimlwn y byddai hynny'n fanteisiol iawn o ystyried gofynion fy ffordd o fyw. Doedd yr holl deithio a'r oriau hwyr ddim yn gydnaws â'u bywyd nhw, a olygai godi'n gynnar ar gyfer gwaith. Roedd hyn yn arbennig o berthnasol i nhad, oedd yn gorfod codi mor gynnar â 5.00 o'r gloch y bore yn aml.

Fe wnes i felly ganfod llety yng nghartref Mrs Vi Taylor yn Cyril Crescent. Roedd John, ei mab, yn gerddor. Ef oedd drymiwr y band a gyflogid gan BBC Cymru ar gyfer rhaglenni oedd ag angen cerddoriaeth fyw. Roedd Mrs Taylor yn cadw lojyrs, ac roedd un o'r rheiny yn rhan hanfodol o'n datblygiad cerddorol, sef Derek Boote.

Daeth Derek a finne'n ffrindiau agos ac fe wnaethon ni setlo'n hapus yn Cyril Crescent. O adael y tŷ a throi i'r dde ymhen ugain llathen byddem wrth ddrws Clwb y BBC. Golygai hyn y caem ein prydau bwyd bron i gyd yng nghantîn y BBC a byddem yn mynychu'r Clwb gyda'r nos.

Pan fyddai ein pocedi'n caniatáu hynny, fe wnâi Derek a finne gerdded lawr Newport Road at y bont cyn cyrraedd Queen Street i fwynhau pryd yn nhŷ bwyta Mario. Roedd Mario wedi gadael yr Eidal gyda'i deulu rai blynyddoedd yn gynharach i chwilio am waith. Mab iddo oedd y peldroediwr Giorgio Chinaglia, a fu'n chware dros Abertawe cyn iddo ddychwelyd i'r Eidal i chwarae, ac wedyn i fod yn rheolwr Lazio. Enillodd 14 o gapiau dros ei wlad hefyd.

Drwy gyd-ddigwyddiad rhyfedd fe fedra'i gofio chwarae rygbi yn ei erbyn, fi'n chwarae dros dîm dan 11 Dewi Sant, neu St David's i ni, a Giorgio dros St Peter's. Roeddwn i'n chwarae ar yr asgell a chefais fy mhoenydio'n feddyliol gydol yr wythnos cyn y gêm gyda'm cyd-chwaraewyr yn fy atgoffa a'm rhybuddio byth a hefyd y byddwn yn marcio 'JoJo', fel y cai ei adnabod, ar yr asgell gyferbyn. Roedd Giorgio yn fachgen tal a chwimwth ac yn dipyn o chwaraewr, yn arbennig gyda'r bêl yn ei ddwylo.

Ar ddiwrnod y gêm, i wneud pethe'n waeth, fe benderfynodd nhad ddod draw i wylio. Dociwr oedd fy nhad fel llawer iawn o ddynion Newtown. Mynnai traddodiad bod bechgyn yr ardal yn dilyn eu tadau i'r dociau, yn union fel y byddai bechgyn y cymunedau glofaol yn dilyn eu tadau i'r pwll. Ond roedd pethe'n newid. Er bod hyn yn dal yn draddodiad – aeth dau o'm brodyr i weithio yn y dociau - byddai'r mamau'n awyddus i weld eu meibion yn cael swyddi coler a thei. Clerc oeddwn i ac fe aeth fy mrawd Paul i'r coleg.

Un o hoff ddywediadau nhad oedd:

'The bigger they are, the harder they fall'.

A dyna ble'r oeddwn i yn crynu wrth feddwl am y frwydr oedd yn fy aros. Daeth yr anochel, a JoJo'n ruthro tuag ata'i a geiriau nhad yn canu yn fy nghlustiau. Caeais fy llygaid a neidio tuag ato. Y canlyniad fu i'r ddau ohonon ni ddisgyn yn bendramwnwgl ynghlwm wrth ein gilydd yn llaid Meysydd Llandaf. Edrychais draw drwy lygaid mwdlyd ar fy nhad. Cododd fys bawd ac roedd gwên lydan ar draws ei wyneb.

Fy nghyd-letywr, Derek Boote oedd chwaraewr bas Adran Adloniant Ysgafn BBC Cymru. Gweithiai bob wythnos ar Disc a Dawn gyda John Tyler yn y band sefydlog. Un diwrnod gwahoddwyd fi i gyflenwi gyda'r band ar y rhaglen ar gyfer canwr roeddwn i wedi chwarae'r mandolin iddo o'r blaen. Roeddwn i a gweddill y band wedi'n gwthio i mewn i gornel y tu ôl i lenni duon. O'r chwith i'r dde roedd Ted Boyce ar yr allweddellau, Tommy Rees ar y sacsoffon, y ffliwt a'r clarinét, fi ar y mandolin, Derek ar y gitâr fas a John Tyler ar y drymiau (ac ar unrhyw offeryn taro arall pan fyddai galw am hynny).

Dyna ble'r oedden ni, ffôns pen dros ein clustiau ac yn syllu ar y monitor Sony Trinitron gan ddisgwyl y ciw gan y rheolwr llawr. Ar y rhaglen roedd yno griw o ferched mewn ffrogiau Laura Ashley yn chwarae gitârs ac yn canu cân gydag arddull miwsig De America. Yn dilyn y rihyrsal dyma Benny Litchfield, y cyfarwyddwr cerdd yn sbecian rhwng y llenni ac yn awgrymu y dylid cael mwy o awyrgylch De Americanaidd. A dyma fe'n holi John:

''Ave you got a guiro, John?'

'Aye,' medde John, 'no problem.'

Fe gawson ni doriad tua 5.30 cyn mynd ar yr awyr yn fyw am

7.00. Ffwrdd â ni felly am Glwb y BBC ar draws y ffordd i'r stiwdio. Wrth i ni eistedd yno'n torri'n syched fe wnes i holi John beth yn y byd oedd guiro? Esboniodd mai offeryn cerdd o America Ladin oedd guiro, sef masgl ffrwyth wedi'i sychu â rhiciau wedi eu cerfio ynddo. O'i rwbio â phren drymio mae'n creu sŵn rhythmig. Esboniodd ymhellach fod y sŵn yn debyg i'r sŵn a geid wrth grafu sgrin olchi, sef sŵn rhuglo. Cai'r sgrin olchi ei defnyddio fel offeryn gan grwpiau sgiffl y cyfnod.

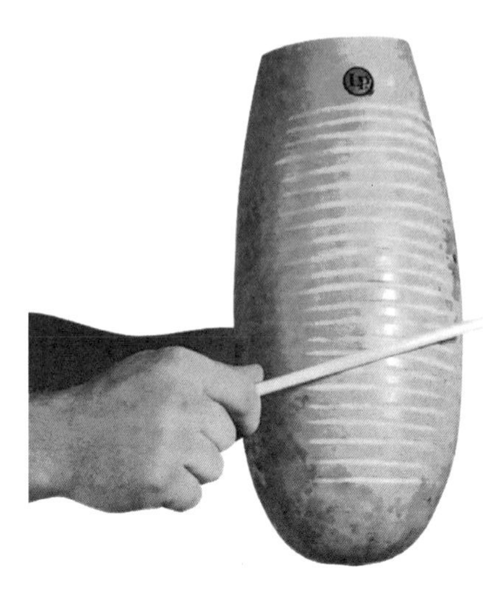

Guiro

Holais John a oedd ganddo fe guiro ar y pryd? Nag oedd, atebodd, roedd e wedi ei adael yng Nghlwb y Torïaid ar ôl bod yn perfformio yno y noson cynt. Yn ffodus roedd y clwb hwnnw rhwng Clwb y BBC a'r stiwdio. Nôl â ni felly i'r stiwdio tra aeth John i chwilio am ei guiro.

Aeth aelodau'r band, John erbyn hyn yn eu plith, yn ôl i'w safleoedd y tu ôl i'r llenni. A dyma'r rhaglen yn cychwyn. Roedd y band allan o olwg y camerâu, wrth gwrs. Gwylio'r eitem ar y monitor oeddwn i, wrth i'r criw o ferched berfformio eu cân Dde Americanaidd. Medrwn glywed sŵn crafiadau guiro John yn glir.

Wrth i'r gân ddod i ben, digwyddais edrych draw dros fy ysgwydd tuag at y band. A sylweddolais nad â guiro roedd John yn creu'r sŵn Roedd e yn hytrach yn dal ei ddannedd gosod yn glos at y meic rhwng bysedd ei law chwith ac yn rhwbio un o'i brennau drymio dros y dannedd â'r llaw dde. Wedi i'r gân orffen, dyma fynd draw ato. Gwenodd wên ddi-ddannedd, a meddai yn floesg yn fy nghlust:

'Never thay you can't do fuck all in thith buthneth!'

Gwthiodd ei ddannedd gosod nôl i'w geg. Gwenodd. Yn fuan wedyn dyma Benny Litchfield yn dod draw i'w longyfarch.

'Thanks, John,' meddai, 'that guiro made all the difference!'

Roedd y wên ar wyneb John yn dweud y cyfan.

6.

YR HEN HEN DDERWEN DDU

(Frank Hennessy
cyf. Rhydderch Jones)

A minnau'n mynd un bore
Yn gynnar tua'r ffair,
Fe gwrddais eneth ifanc
Â'i gwallt yn donnau aur,
Yr eneth ger Caerfyrddin
Ei llais fel llais y lli,
Arhosais i am ennyd fach
I sgwrsio gyda hi.

Cytgan:
Y ferch mewn brethyn cartre,
Tyrd ac eistedd gyda mi
A dywedaf i ti'r stori
Am yr hen, hen dderwen ddu.

A ni ar gwr Caerfyrddin,
Edrychodd arna i'n flin
Wrth fy ngweld yn codi 'nghap
I bwt o goeden grin,
Ond dywedais wrthi'r hanes
Pe cwympai'r goeden hon,
Yn ôl yr hen chwedloniaeth
Ai'r dref o dan y don.

(Cytgan)

A dyma hi yn chwerthin
A'm gwneud i deimlo'n ffôl
Fod crwt fel fi yn credu
Hen stori oesau'n ôl.
Ond roedd ei llais yn heintus
A'i gruddiau hi mor llon,
Fe deimlais i ryw chwithdod
A chyffro yn fy mron.

(Cytgan)

A nawr rwyf ar fy aelwyd
A'm cymar gyda mi,
Yr eneth gynt a gwrddais
Gerbron y dderwen ddu,
Fy nheulu sydd yn gyflawn
A bywyd sydd yn win
Am i mi godi 'nghap un dydd
I bwt o goeden grin.

(Cytgan)

Singing Barn '69
(Llun BBC)

Y tri ohonom yn edrych yn anarferol o drwsiadus!

A ninnau'n dal yn 1969, hon mae'n siŵr oedd ein blwyddyn brysuraf gydag amryw o ymddangosiadau ar Disc a Dawn ac ar gyfres Saesneg newydd gan y BBC, *The Singing Barn*. Roeddem hefyd yn brysur yn chwarae'n fyw mewn lleoliadau o gwmpas Caerdydd yn bennaf. Drwy hyn oll, fe wnaethom hefyd ehangu ein gwybodaeth am sefyllfa'r byd pop yng Nghymru, a ninnau bellach wedi dod yn rhan o'r byd hwnnw.

I'r perwyl hwn mynnodd Rhydderch Jones y dylem weld mwy o Gymru ac felly penderfynodd y byddai ef ei hun yn dywysydd i ni. Hyd hynny roeddem wedi ymweld ag Iwerddon droeon ond heb ymweld erioed â gogledd Cymru. Yn wir, doedden ni ddim yn ymwybodol fod Cymru'n bodoli yn uwch i fyny na Merthyr Tudful.

Cychwynnodd y daith addysgiadol yn naturiol ym mhrifddinas gogledd Cymru, sef Aberllefenni. O leiaf, dyna oedd barn Rhydderch wrth iddo'n cyflwyno ni i'w rieni, Nel a Twm. Buan iawn y trodd Nel yn 'Mam'. Roedd hi'n braf cael ymlacio wrth fynd allan i bysgota ac i yfed ambell beint. Ddim mor braf oedd cael ein cludo ar deithiau gwallgof ar hyd ffyrdd culion a garw'r Comisiwn Coedwigaeth draw dros y mynydd am Ddinas Mawddwy. Bendith fyddai cael cyrraedd pen y daith, sef tafarn fywiog Danny Rowlands, y Llew Coch.

Gan Twm cawsom hanesion am y diwydiant llechi yn y gogledd a hanes y chwarel leol lle treuliodd ei flynyddoedd gwaith bron yn gyfan. Wrth i ni deithio o gwmpas y gogledd a'r canolbarth caem hanesion am y gwahanol ardaloedd gan Rhŷdd. Yn Rhandir Mwyn cawsom glywed am anturiaethau Twm Siôn Cati. Ac fe aeth y daith honno â ni draw i Gaerfyrddin lle clywsom am chwedl yr hen dderwen.

Arweiniodd yr ymweliad hwnnw at gyfansoddi cân fwyaf llwyddiannus Frank, 'The Old Carmarthen Oak'. Fe'i cyfieithwyd i'r Gymraeg gan Rhŷdd fel 'Yr Hen, Hen Dderwen Ddu'. Yn wir, fe'i cyfieithwyd i ieithoedd eraill hefyd. Y fersiwn fwyaf llwyddiannus fu addasiad ohoni o dan y teitl 'The Old Dungarvan Oak'. Fe'i perfformiwyd a'i recordio gan wahanol

Singing Barn (llun oddi ar fideo)

fandiau gwerin Gwyddelig.

Un o lwyddiannau cynnar Frank oedd 'The Gypsy', cân a recordiwyd gan Dermot Henry. Dringodd i rif un yn y siartiau Gwyddelig a gofynnodd Dermot am fwy o ganeuon gan Frank. A dyma Frank yn mynd ati i addasu 'The Old Carmarthen Oak' i 'The Old Dungarvan Oak'. Pam Dungarvan? Wel, roedd Frank yn gyfarwydd iawn â'r dref honno sydd ar arfordir Swydd Waterford gan fod amryw o aelodau ei deulu yn hanu o'r ardal.

Y canlyniad fu i'r gân arwain at greu diddordeb mawr yn y chwedl. Ond fe drodd yn chwedl Wyddelig. Aethpwyd mor bell ag enwi tafarn yn y dref yn The Old Dungarvan Oak. A châi twristiaid eu harwain at y safle lle, yn ôl y tywyswyr, y tyfai'r dderwen chwedlonol gynt. Ond y gwirionedd yw nad oes yr un dderwen i'w gweld ar gyfyl y dref. Pa ots? Yn wir, trawsblannwyd y gân yng ngogledd Iwerddon a'i henwi yn 'The Old Dungannon Oak'. Ein hoff fersiwn ni o'r gân yw honno gan

Neuadd y Corey, Caerdydd

Diarmuid O'Leary and the Bards. Dros y blynyddoedd daethom yn ffrindiau mawr â Diarmuid a'r band.

Tua'r un adeg cyfansoddodd Frank gân wedi'i seilio ar hanes Twm Siôn Cati. Fe'i recordiwyd y flwyddyn ganlynol wedi ei chyfieithu gan Hywel Gwynfryn. Daethom yn ffrindiau â Hywel drwy Derek Boote, y ddau yn Fonwysion ac wedi dilyn bron iawn yr un llwybr gyrfaol drwy astudio yng Ngholeg Cerdd a Drama Caerdydd cyn ymuno â'r BBC.

Roedd cyfieithiad Rhŷdd o 'A Ddaw yn Ôl?' wedi denu ambell feirniadaeth gan rai am ei ddefnydd o Gymraeg henffasiwn. Gan fod Hywel yn nes at ein hoedran ni, gofynnwyd iddo ef ymgymryd â'r gwaith o gyfieithu. Teimlid y byddai ei arddull ef yn fwy cyfoes. Doedd Rhŷdd ddim yn meindio o gwbl. Roedd e'n brysur beth bynnag gyda'i waith yn y BBC heb sôn am gyfansoddi dramâu dirifedi gyda'i gyfaill Gwenlyn Parry. Aeth Hywel ymlaen i gyfieithu neu addasu nifer o ganeuon i ni. Mwy am hynny yn nes ymlaen.

Yng Nghaerdydd roedden ni'n parhau i ddod i adnabod cantorion, cerddorion a chyfansoddwyr eraill, hynny drwy Disc a Dawn yn bennaf. Yn eu plith roedd Meic Stevens, Dafydd Iwan, Huw Jones, Tony ac Aloma, Iris Williams, Hogia'r Wyddfa, Hogiau Llandegai a'r Diliau.

Yn eu plith hefyd roedd y triawd talentog hwnnw Bob, Eiri a Caryl, sef Y Triban, a oedd yn atgyfnerthu'r math o ganu harmoni clòs yr anelem ni at ei greu. Nhw wnaeth ein cyflwyno i artistiaid Americanaidd fel Kris Kristofferson ('Sunday Morning Coming Down'/ 'Llwch y Bore yn y Ddinas') a Gordon Lightfoot o Ganada. Mae fersiwn y Triban o gân Alex Harvey, 'Delta Dawn', yn dal i swnio'n dda wedi'r holl flynyddoedd. Felly hefyd ganeuon Meic Stevens. Caf fy hun yn dal i wrando ar ganeuon gan artistiaid y cyfnod a'u mwynhau lawn cymaint nawr ag y gwnawn pan ryddhawyd nhw nôl yn y 60au.

Ffefryn arbennig ganddon ni oedd Heather Jones. Daethom i adnabod Heather wrth i ni gyfarfod yn y cyngerdd hwnnw y gwnaethom ymddangos ynddo yn y Theatr Newydd yng Nghaerdydd ar gyfer 'Spotlight on Youth'. Rhan o fenter Cyngor y Ddinas oedd hon i annog ysgolion a chlybiau ieuenctid yn yr ardal i ymwneud â'r celfyddydau. Roedd Heather yn canu gyda grŵp o ferched oedd yn cynrychioli ei hysgol yn yr Eglwys Newydd a ninnau'n cynrychioli'r Central Boys Club.

Roedd ganddon ni fel clwb dîm pêl-droed pump-bob-ochr llwyddiannus iawn i lanciau 14–15 oed. Aeth rhai ohonom ymlaen at fwy o lwyddiant yn cynnwys John Parsons (Cardiff City), Francis Prince (Bristol Rovers), ei frawd David, fy mrawd Michael, fy nghefnder Terry Hourihan, John Murphy, Mickey

Savage, Orion McGann yn y gôl a Terry Yorath (Leeds a Chymru). Roedd tad Terry yn cadw'r Cambridge Hotel, un o dafarnau Newtown. Hyfforddwr ein tîm ni oedd y chwedlonol Harry Parsons, 'kit man' Cardiff City. Byddai Harry'n cludo'r tîm i gemau oddi cartref wedi eu stwffio yng nghefn y fan a ddefnyddiai ar gyfer ei fusnes gwerthu ffrwythau. Weithiau byddai'n llwyddo i wthio'i wraig i mewn hefyd.

Cofiaf y Sadyrnau hynny pan welwn frawd Terry, a gâi ei adnabod fel 'Young Dai' yn cerdded fyny Tyndall Street o'r Cambridge Hotel yn cario cit chwarae ar ei ffordd i Ninian Park i chwarae dros Cardiff City. Un diwrnod wrth i mi gyrraedd adre o'r gwaith am ginio dyma weld mam yn syllu ar Terry'n cicio pêl ar hyd y stryd wag. Yn amlwg doedd e ddim wedi mynd i'r ysgol y diwrnod hwnnw. A dyma mam yn troi ata'i a dweud:

'Wn i ddim beth fydd hanes y crwt yna. Mae e'n gwastraffu ei amser yn cicio pêl drwy'r dydd.'

Aeth y flwyddyn yn ei blaen wrth i ni gyfuno gwaith teledu a theithio'n fwy aml ac yn ehangach gan ddysgu mwy a mwy am y Gymru wledig. Drwy hynny daethom i sylweddoli rhan mor bwysig a chwaraeai'r iaith Gymraeg ym mywyd bob dydd y Cymry a fodolai tu hwnt i ddinas Caerdydd. Bu'r sylweddoliad hwn yn sioc ddiwylliannol i ni, un a newidiodd yn llwyr ein ffordd o feddwl am bwysigrwydd yr iaith. A dyma sylweddoli'r angen nid yn unig i gadw'r iaith yn fyw ond hefyd i wneud ein rhan fach ni ein hunain drwy ganu'n Gymraeg. Cynyddodd hefyd ein gwerthfawrogiad o'r rheiny oedd eisoes yn canu'n Gymraeg gan gysegru eu talent i achos yr iaith.

Yn hyn o beth rhaid i mi enwi Dafydd Iwan yn arbennig. Cwrddais ag ef gyntaf yn Neuadd y Cory yng Nghaerdydd mewn cyngerdd i hybu achos Plaid Cymru. Rhybuddiwyd fi rhag blaen ei fod yn genedlaetholwr pybyr na fyddai ganddo, mwy na thebyg, unrhyw ddiddordeb mewn cyfeillachu â phobl fel ni, oedd yn ddi-Gymraeg.

Ni allai hynny fod ymhellach o'r gwir.

Frank a finne mewn tîm pêl-droed ar gyfer codi arian i achosion da. Ymhlith y chwaraewyr mae Hywel Gwynfryn, Viv o Hogia'r Wyddfa, Now o Hogia Llandygai a Bryn Williams.

7.

MOLIANNWN

(Traddodiadol)

Nawr lanciau rhoddwn glod,
Y mae'r gwanwyn wedi dod,
Y gaeaf a'r oerni a aeth heibio;
Daw'r coed i wisgo'u dail,
A mwyniant mwyn yr haul,
A'r ŵyn ar y dolydd i brancio.

Cytgan

Moliannwn oll yn llon,
Mae amser gwell i ddyfod, Haleliwia,
Ac ar ôl y tywydd drwg
Fe wnawn arian fel y mwg,
Mae arwyddion dymunol o'n blaenau,

Ffwl-la-la, ffwl-la-la, ffwl-la-la-la-la-la-la,
Ffwl-la-la, ffwl-la-la, ffwl-la-la-la-la-la-la.

Daw'r Robin Goch yn llon
I diwnio ar y fron,
A Cheiliog y Rhedyn i ganu,
A chawn glywed whiparwîl
A llyffantod wrth y fil
O'r goedwig yn mwmian chwibanu.

Cytgan

Fe awn i lawr i'r dre,
Gwir ddedwydd fydd ein lle,
Cawn lawnder o ganu ac o ddawnsio;
A chwmpeini naw neu ddeg
O enethod glân a theg
Lle mae mwyniant y byd yn disgleirio.

Cytgan

Ar daith Ryan a Ronnie 1969

Mae'r gân boblogaidd hon a anfarwolwyd gan Bob Roberts, neu Bob Tai'r Felin, yn gwneud i mi edrych yn ôl gryn bellter. Ond rhywfodd fedra i ddim mynd yn ôl ymhellach na 1969. Dyma pryd wnaeth y rhan fwyaf o'n gwaith yng Nghymru ddigwydd.

O ddod i amlygrwydd gyda chân draddodiadol, 'Ar Lan y Môr', dyma gloddio yn y gwaddol canu gwerin gyda chymorth gwerthfawr Rhydderch am ganeuon traddodiadol addas y medrem eu haddasu i'n dull ni o berfformio. Ac fe wnaeth

Yn Eisteddfod yr Urdd Aberystwyth yn 1969

Rhydderch awgrymu 'Moliannwn', un o blith nifer o glasuron Bob Tai'r Felin, wrth gwrs. Fe wnaeth Rhydderch hefyd chwarae i ni fersiwn gan y gantores Helen Wyn o gyffiniau Bangor, a ddaeth yn enwocach wedyn wrth gwrs fel Tammy Jones.

Roedd trwch ein repertoire yn ganeuon rebel o ran eu naws, hynny'n golygu nad oedden nhw ymhlith y caneuon mwyaf llon! Swniai hon y math o gân oedden ni'n chwilio amdani; felly dyma benderfynu ei chynnwys ar ein halbym oedd i ymddangos yn fuan.

Yn 1969 roedden ni wedi cyfarfod â Ryan a Ronnie, sêr disgleiriaf Cymru, mi dybiaf. Gwahoddwyd ni i ymuno â nhw ar daith gyda rhaglen oedd hefyd yn cynnwys Alun Williams, Bryn Williams, Janice Thomas / Margaret Williams a Thriawd Benny Litchfield. Y tri hynny oedd Benny (allweddellau), John Tyler (drymiau) a naill ai Derek Boote neu Roger Gape (bas).

Un o'r lleoliadau cyntaf ar y daith oedd Aberystwyth, a hynny ar adeg cynnal Prifwyl yr Urdd. Hwn oedd ein hymweliad cyntaf â'r dref a ddeuai'n hoff gyrchfan i ni. A'n prif atynfa oedd tafarn y Skinners (neu'r Blingwyr i'r Cymry Cymraeg lleol). Roedd y tafarnwr, Elfed Evans, wedi creu canolfan gerddorol fywiog yno.

Hwn oedd ein hymweliad cyntaf erioed ag eisteddfod. Fe wnaethom gyrraedd ddiwedd prynhawn ac ar ôl arwyddo'r coflyfr a sicrhau ein stafelloedd dyma benderfynu ymweld â

Ffilmio Disc a Dawn yn Neuadd y Brenin, Aberystwyth 1969

rhai o dafarnau eraill y dref yng nghwmni Ryan a Ronnie ac aelodau'r triawd, Benny, Derek a John.

Y dafarn gyntaf i ni ymweld â hi oedd Yr Hydd Gwyn, neu'r White Hart yn Stryd y Farchnad. Wrth i ni ymlacio uwch ein peintiau dyma ganfod wyneb cyfarwydd. Pwy ydoedd ond Mike Ford, cyfaill i ni o Gaerdydd. Ditectif oedd Mike, a golygfa gwbl annisgwyl oedd ei weld yn sipian sudd oren. Roedd ei gariad Lynda, a ddeuai'n wraig iddo'n ddiweddarach, yn gweini y tu ôl i far Clwb y BBC.

Ymddangosai Mike braidd yn annifyr, ac fe wnaeth esbonio pam. Roedd yno, meddai, fel rhan o garfan gudd gyda'r heddlu yn cadw golwg ar genedlaetholwyr amlwg. Ac roedd yr Hydd Gwyn yn fan cyfarfod i genedlaetholwyr, yn cynnwys aelodau o Gymdeithas yr Iaith Gymraeg a'r FWA. Roedd y Tywysog Charles yn astudio yn y Coleg yn y dref ar y pryd, a'r Arwisgo ar y gorwel. Yn wir, byddai'n annerch o lwyfan y Brifwyl ar y dydd Sadwrn. Cyfaddefodd Mike mai un o'i ddyletswyddau oedd cadw golwg ar Sioe Ryan a Ronnie!

Llun ohonom yn Aber yn Y Cymro 1969

Wedi i ni stopio chwerthin, fe wnaethom ni addo i Mike y gwnaem gadw mewn cysylltiad ag ef gan ei hysbysu o'n symudiadau fel y gallai ymlacio a mwynhau peint neu ddau yn ein cwmni. Fe wnaeth y cynllun weithio. Yn wir, gweithiodd mor dda fel y byddem, wrth adael tafarn, a Mike heb orffen ei beint, yn dweud wrtho pa dafarn y byddem yn ei mynychu nesaf fel y gallai ymuno â ni! Aeth y trefniant mor bell fel iddo ymuno â ni yn achlysurol hefyd yn y bwyty Tsieineaidd agosaf!

Yr ymweliad hwn ag Aberystwyth ddaeth â ni'n ffrindiau agos â Lyn Ebenezer. Roedd Lyn wedi trefnu sesiwn dynnu lluniau ohonom ar y traeth ac ef wnaeth ysgrifennu'r erthygl gyntaf ar yr Hennessys. Y pennawd uwchben ei stori yn *Y Cymro* oedd:

'Anghytuno! Hwn yw'r grŵp gorau!'

Roedd hyn mewn ymateb i nodiadau gan Merêd ar gefn ein

halbym cyntaf yn datgan ein bod ni ymhlith y tri grŵp gorau yng Nghymru. Mae'n rhaid bod ein caneuon rebel wedi dylanwadu ar Lyn! Ond byth ers hynny gwnaethom werthfawrogi ei gefnogaeth i ni fel grŵp dros y blynyddoedd.

Nôl yng Nghaerdydd yn hwyrach y flwyddyn honno fe wnaeth John Tyler gyhoeddi un noson fod rhywun wedi dwyn ei offer drymio. Roedd cit drymiau John yn un go arbennig gyda'r drwm bas ar siâp hanner wy. Aeth ati i ffonio rhai o'i ffrindiau lawr yn y Bae er mwyn gweld a oedd rheiny'n gwybod rhywbeth a allai arwain at y lleidr. Esgorodd hyn ar ymateb cadarnhaol yn cynnwys enw a chyfeiriad rhywun perthnasol. Ffoniodd John yr heddlu gan ddatgelu'r wybodaeth a chynghori'r plismyn i alw yn y tŷ arbennig hwnnw ar fyrder cyn iddo ef gyrraedd yno o'u blaen a delio â'r troseddwr yn ei ffordd ei hun.

Fis neu ddau'n ddiweddarach gwahoddwyd ni ac aelodau eraill Sioe Ryan a Ronnie i berfformio o flaen y carcharorion yng Ngharchar Caerdydd. I Paul roedd hyn yn gyfleus iawn gan fod y carchar ar ben y stryd lle'r oedd yn byw yn Sandon Place. Fe wnaethon ni gyrraedd yn gynnar ac fe ddechreuodd y triawd fynd ati i osod eu hoffer. Roedd John wedi derbyn y cit drymio yn ôl o'r llys barn wythnos yn gynharach lle'r oedd yr offer wedi ei gynnwys fel rhan o dystiolaeth yr heddlu yn erbyn y troseddwr.

Wrth i John osod ei offer drymio ar y llwyfan fe sylwodd fod y gynulleidfa'n dechrau mynd at eu seddi. Ac yno yng nghanol y drydedd res gwelodd y dyn oedd wedi ei garcharu am ddwyn ei offer. Treuliodd John y noson, wrth iddo ddrymio, yn gwenu ar y troseddwr.

Roedd y gwarchodwyr yn sefyll o gwmpas y carcharorion yn y neuadd. Rhybuddiwyd hwy nad oedd hawl ganddynt i siarad yn ystod y cyngerdd. A phwysleisiwyd na ddylent gymeradwyo nes dod i ddiwedd pob cân. Fe ddaeth ein tro ni i fynd ar y llwyfan. Ar ddiwedd un o'n caneuon fe glywsom sibrydiad uchel.

'Dowch â hen gân rebel i ni!'

Doedd dim angen mwy o gymell. Dyma ganu 'The Merry Ploughboy', cân rebel Wyddelig boblogaidd. A dyma ni'n cyrraedd y gytgan.

'We're all off to Dublin in the green, in the green
Where the helmets glisten in the sun,
Where the bayonets flash and the rifles crash
To the rattle of a Thompson gun'.

Fe wnaethon ni sylweddoli fod yna dipyn o gyffro ymysg y gynulleidfa. Roedd y gofalwyr i gyd yn syllu ar un o'r carcharorion oedd yn eistedd yng nghanol y gynulleidfa. Roedd hwn â'i wyneb yn goch o'i ymdrechion i floeddio canu mor uchel ag y medrai. Roedd y gwythiennau yn ei wddf yn cordeddu o'i angerdd. Doedd dim llawer fedrai'r gofalwyr ei wneud i'w atal gan ei fod yng nghanol y dorf, hynny'n ei gwneud hi'n amhosib cyrraedd ato heb gryn aflonyddwch. Doedd dim dewis ganddyn nhw felly ond gadael llonydd iddo barhau i ganu nerth ei ben nes cyrraedd y diwedd.

Roedd yr un mor uchel ei gloch wrth i ni dderbyn cymeradwyaeth frwd ar ddiwedd y gân. Pan adawsom ni'r llwyfan fe wnaeth Ronnie ein hysbysu mai'r carcharor a aeth i eithafion gyda'i ganu a'i gymeradwyo oedd neb llai na Cayo Evans! Roedd yno'n treulio deunaw mis yn dilyn achos hanesyddol yr FWA a ddaeth i ben yn Abertawe ar union ddiwrnod yr Arwisgo yng Nghaernarfon.

Bu'r sioe yn y carchar yn llwyddiant mawr. Mwynhawyd, wrth gwrs, stranciau doniol Ryan a Ronnie. Felly hefyd berfformiadau Alun Williams ar y piano a Bryn Williams fel arweinydd y sioe. Yna dyma gyrraedd uchafbwynt y noson i'r carcharorion, sef perfformiad gan Margaret Williams.

Pan na fyddem yn perfformio, tueddem i wylio perfformiadau'r lleill o gefn y llwyfan. A dyna a wnaethom ar y noson arbennig hon wrth i ni fwynhau gweld a chlywed

Margaret yn taenu ei hud arferol dros gynulleidfa. Dyma hi'n cyrraedd ei chân olaf i gloi ei pherfformiad. Diolchodd i bawb am fod yn gynulleidfa mor wych a chyhoeddodd mai ei chân olaf fyddai cân boblogaidd iawn ar y pryd gan John Rowles, cân oedd wedi cyrraedd rhif tri yn y siartiau. Ei theitl oedd 'If I Only had Time'! A dyma gynnwrf ymhlith y gynulleidfa, ac yn wir ymhlith y gwarchodwyr hefyd, a phawb yn gwerthfawrogi'r eironi. Yng nghefn y llwyfan, ofnem y câi Ryan drawiad ar ei galon. Ond ymlaen yr aeth Margaret, heb sylweddoli arwyddocâd y teitl i'r carcharorion.

Pan ddaeth y gân i ben, aeth y lle'n ferw gwyllt o glapio, gweiddi, stampio traed, chwibanu a galwadau croch am fwy! Doedd dim dewis gan Alun Williams fel cyfeilydd ond galw Margaret yn ôl am encôr er mwyn tawelu'r dorf. Roedd Margaret wedi ei syfrdanu'n llwyr gan yr ymateb brwd. Diolchodd i'r gynulleidfa a chyhoeddodd enw'r gân a berfformiai fel encôr. Hyd heddiw, wn i ddim ai dewis bwriadol fu hwn ai peidio. Ond y gân a ddewisodd Margaret i gloi ei pherfformiad yn y carchar oedd 'Bless this House'!

Dyna'r agosaf, mae'n rhaid, y daeth Carchar Caerdydd at wynebu reiat. Ac ofnem yn fawr y byddai'n rhaid cludo Ryan oddi yno yng nghefn ambiwlans!

8.

GWALIA

(Addasiad Lynn Jones o
'The Praties they Grow Small'
Johnny Patterson)

Mae fy nghalon i yn brudd
Am fy ngwlad, am fy ngwlad,
Mae fy nghalon i yn brudd
Am nad yw fy ngwlad yn rhydd
Ac rwy'n poeni nos a dydd
Am fy ngwlad.

Fe hiraethaf am yr awr,
Dros fy ngwlad, dros fy ngwlad,
Fe hiraethaf am yr awr
Pan y codwn oll o'r llawr
A phan dyrr yr euraid awr
Dros fy ngwlad.

Ac fe gydiwn yn y ffrwyn
Gymry oll, Gymry oll,
Ac fe gydiwn yn y ffrwyn
Heb na gofid cur na chŵyn,
Sŵn yr iaith sydd fwya'i swyn,
Gymry oll

Bydd pob Cymro'n Gymro gwir,
Hapus wlad, hapus wlad,
Bydd pob Cymro'n Gymro gwir,
Fe ddaw'r iaith yn ôl i'r tir
Ar ôl oesoedd trwm a hir,
Hapus wlad.

Cofeb i feirwon y Newyn Mawr a godwyd yng Nghaerdydd

Mae'r gân hon yn un o ddwy wnaethon ni gyfrannu i albym a gynhyrchwyd gan y BBC yn 1970 o berfformiadau gwahanol artistiaid ar y rhaglen boblogaidd Disc a Dawn. Addasiad yw hi o gân am y Newyn Mawr yn Iwerddon a adnabyddir fel 'An Gorta Mór'. Enw'r gân honno yw 'The Praties They Grow Small'. Mae hi'n sôn am y malltod a ddifaodd y cnwd tatw rhwng 1845 ac 1847 gan arwain at farwolaeth miliwn o Wyddelod ac a achosodd i filiwn arall orfod ymfudo er mwyn achub eu bywyd.

'Oh the praties they grow small,
Over here, over here.
Oh the praties they grow small
And we dig them in the fall
And we eat them skins and all
Over here, over here.'

Ar Daith Sêr Cymru yng Nghaernarfon 1969

Roedd nifer o'r ymfudwyr a ddaeth i Gaerdydd wedi dod o Orllewin Corc ar y llongau glo oedd yn dychwelyd ar ôl cludo eu cargo yno o lofeydd de Cymru. Cai'r glo ei allforio i Queenstown (Cobh heddiw) ar gyfer ei losgi yn ffwrneisi'r llongau teithio mawr fyddai'n hwylio oddi yno ar draws Môr Iwerydd i America.

Yn ôl yng Nghymru aeth gweithwyr oedd yn ehangu dociau Caerdydd ar streic. Ymateb Marcwis Bute fu cludo dynion newynog a di-waith draw o Iwerddon i gymryd lle'r streicwyr. Hynny yw, yn hytrach na llenwi howlds ei longau cludo glo â balast ar gyfer y fordaith nôl, llwythwyd llongau Bute â Gwyddelod. Roedd hynny'n hwylusach ac yn rhatach, a'r trosiant yn gyflymach. Roedd hyn oll yn anghyfreithlon ac fe'i dirwywyd. Ei ymateb fu angori ei longau oddi ar arfordir Pen-y-bont ar Ogwr a gorfodi'r Gwyddelod i rydio i'r lan. Byddai'r llongau wedyn yn cyrraedd Casnewydd neu Gaerdydd â'u howldiau'n wag, yn ôl gofynion y gyfraith. O ganlyniad i hyn, boddodd dros ddau gant o Wyddelod. Y llafurwyr gorfodol hyn oedd y 'wetbacks' gwreiddiol. Heddiw mae'n cyfeirio at y Mecsicaniaid sy'n ceisio croesi'r Rio Grande er mwy cyrraedd yr Unol Daleithiau.

Addaswyd y gân 'The Praties they Grow Small' gan Lynn Jones, awdur a sgriptiwr oedd yn ffrind i Ronnie Williams. Trodd hi'n alargan am y sefyllfa yng Nghymru. Yr ail gân ar yr albym oedd addasiad o'r gân rebel 'The Boys From The County Cork'. Addaswyd hon eto i fod yn gân am Gymru gan Hywel Gwynfryn gyda'r teitl 'Mae'n Gobaith yn ein Calon a'n Rhyddid yn ein Cân'.

Bu 1970 yn flwyddyn brysur o ran recordio i ni. Rhyddhawyd ein record EP gyntaf 'Ar Lan y Môr' ar label Recordiau Cambrian. Ar y ddisg roedd dwy gân draddodiadol sef y trac teitl 'Ar Lan y Môr' a'r gân sianti 'Rownd yr Horn' ynghyd â dwy o ganeuon cynnar Frank, 'Y Sipsi' ('The Gipsy') a 'Ffarwel i'r Rhondda'('Farewell to the Rhondda'). Cyfansoddodd 'Farewell to the Rhondda' adeg cau'r glofeydd gan Alfred Robens. Pan gamodd hwnnw i mewn i Gadair y Bwrdd Glo Cenedlaethol (NCB) yn 1961 roedd yna 698 o lofeydd yn cyflogi 583,000 o lowyr. Pan adawodd y swydd ddegawd yn ddiweddarach, doedd yna ond 292 o lofeydd yn cyflogi 283,000 o lowyr. Arweiniodd hyn at allfudo ymhlith dynion y Rhondda i ardaloedd eraill. Gorfodwyd llawer i adael Cymru'n gyfangwbl wrth i'r cyn-lowyr orfod codi pac i chwilio am waith. Dyma fyrdwn cân Frank.

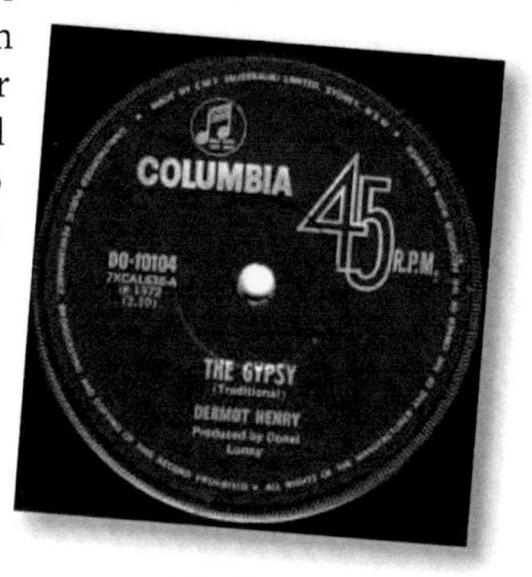

The Gypsy

'The Gipsy' oedd y gân gyntaf erioed i Frank ei chyfansoddi, ac yn annisgwyl daeth yn boblogaidd iawn yn Iwerddon. Bu hyn yn gryn syndod i Frank a minnau ac fe wnaethon ni ddod i wybod am lwyddiant y gân mewn ffordd gwbl annisgwyl. Ar y pryd roedden ni'n gweithio fyny yng ngogledd Cymru fel rhan o fenter a drefnwyd gan ein cyfaill agos Emyr Griffith o Fwrdd Croeso Cymru. Buom wrthi am ddeufis dros yr haf yn ymddangos mewn lleoliadau twristaidd ledled y gogledd. Cawsom lety sefydlog mewn tŷ ym Mochdre a fenthycwyd i ni gan gyfaill arall, Tony Davies, tafarnwr y Cross Keys yng Nglanconwy. Yr unig anhawster oedd i Frank, pan ofynnwyd iddo gan rywun ble roedden ni'n lletya, ateb drwy ddweud fod ganddon ni ein lle ein hunain yn 'Pigsville'!

Yn ystod ein harhosiad clywsom fod ewythr i Frank, sef Willie Hennessy o Ardmore yn Swydd Waterford, wedi ei gymryd i'r ysbyty yn Nulyn a'i fod yn bur wael. Roedden ni wedi bod yn lletya am gyfnod gyda Willie pan fuom yn byw yn Ardmore a dyma benderfynu mynd draw i Ddulyn dros y penwythnos i'w weld. Fe wnaethon ni hwylio o Gaergybi fel teithwyr traed gan mai dim ond ymweliad byr fyddai hwn. Byddai angen i ni fod nôl ar gyfer perfformio ar y nos Lun.

Fe wnaethon ni gyrraedd Dulyn yn yr oriau mân a gwneud ein ffordd am yr ysbyty. Wrth i ni gerdded ar hyd y coridor roedd un o'r gweithwyr domestig yn glanhau'r llawr ac yn hymian tôn 'The Gipsy'.

'Un o'n caneuon ni yw honna, ynte?' meddai Frank.

Fe wnes i gytuno, ac ymlaen â ni tuag at ward Willie heb feddwl mwy am y peth. Fe esboniodd nyrs fod Willie'n llithro i mewn ac allan o ymwybyddiaeth ac ar adegau heb fod yn glir ei feddwl. Ond ymddangosai mewn hwyliau da wrth i ni sôn am Ardmore. Yna dyma fe'n datgan fod pawb yn Iwerddon yn canu cân Frank a'i bod hi ar frig y siartiau. Cynigiodd hefyd y defnydd o'i gar modur i ni dros y Sul. Ond ysgydwodd y nyrs ei phen a sibrwd mai mewn ambiwlans y cludwyd ef o Ardmore. Ymhen amser dyma ffarwelio â Willie a chwilio am le bwyta yng nghanol Dulyn cyn dal y llong fferi nôl am Gaergybi.

Yn y bwyty fe wnaethon ni sylweddoli nad gwamalu oedd Willie am gân Frank pan welsom ymhlith y rhestr caneuon ar y jiwcbocs yn y gornel y geiriau 'The Gipsy by Dermot Henry and the Virginians'. Cawsom esboniad yn ddiweddarach. Mae'n debyg fod Dermot wedi bod yn recordio albym yn stiwdio Eamonn Andrews yn Nulyn ac wedi bod yn chwilio am ganeuon addas i'w cynnwys. Awgrymodd y peiriannydd sain, gŵr o Ardmore fel yr oedd yn digwydd bod, y dylai wrando at ein record ni oedd yno ymhlith bwndel o recordiau yn y stiwdio. Dyma Dermot yn gwneud hynny ac yn dewis 'The Gipsy' fel sengl. Ac fe saethodd fyny i frig y siartiau.

Fe wnaethon ni brynu copi o'r record gan sylwi bod y cwmni recordiau, Columbia, wedi ei chofnodi fel cân werin. Golygai hynny na châi Frank ei dderbyn ganddynt fel y cyfansoddwr y gân. Yn bwysicach fyth, ni wnâi dderbyn tâl hawlfraint! Ar ôl cyrraedd nôl fe wnaeth Frank gysylltu â'r cwmni i esbonio'r sefyllfa. Fe wnaethon nhw ymddiheuro gan esbonio iddyn nhw gymryd yn ganiataol mai cân werin oedd hi am nad oedd manylion hawlfraint ar ein fersiwn ni o'r gân ar ein albym gan Cambrian. Daethpwyd i gytundeb ac fe wnaeth Dermot ofyn i Frank a oedd ganddo fwy o ganeuon addas ar ei gyfer ef a'r band.

Dyna pryd aeth Frank ati i newid ychydig ar eiriau 'The Old Carmarthen Oak' a'i throi'n dderwen Dungarvan. A dyma, ar unwaith, fywyd newydd i'r gân wrth iddi ennill ei lle mewn chwedloniaeth canu gwerin Iwerddon a chyrraedd rhif pump yn y siartiau!

Nôl yng Nghymru fe wnaethon ni ddychwelyd ddiwedd yr haf i Gaerdydd gan ail-ymuno â sioe Ryan a Ronnie. Fe wnaethon ni hefyd deithio Cymru mewn sioeau Noson Lawen, a fedyddiwyd gan John Tyler yn 'Nosh and Lie-in'. Fe arweiniodd tueddiad John i gam-ynganu enwau Cymraeg at ddatblygiad diddorol.

Yn ôl yn ein gwesty yn dilyn y cyngerdd yng Nghorwen fe aethon ni am ddiod. Roedd y bar yn orlawn. Ymddangosai fel petai'r gynulleidfa gyfan wedi ymgynnull yno. Dyma rywun lleol yn dod fyny at Frank, Benny, John a finne gan ein cyfarch, yn ddigon naturiol, yn Gymraeg. Wedi i ni ymddiheuro am ein methiant i siarad yr iaith, dyma Ronnie'n dod draw gan esbonio'n ddireidus nad oedden ni'n aelodau o Gymdeithas yr Iaith ond yn hytrach yn aelodau o The Cardiff Language Society ar gyfer pobl oedd yn siarad ag acen Caerdydd. A dyma bawb yn chwerthin.

O dipyn i beth, glynodd y syniad a dyma ymestyn y jôc wedi i ni gyrraedd nôl yng Nghaerdydd. Fe wnaethon ni gynllunio tei arbennig yn dangos arwyddlun y 'Gymdeithas' honedig, tei y byddai gofyn i ni'r aelodau ei gwisgo bob dydd Gwener. Ychydig o hwyl oedd y cyfan, dim byd mwy.

Un noson yn dilyn perfformio'r sioe yn Neuadd Ddawns y Lyceum yn Llundain mewn parti yng Nghlwb y Cymry yn Grays Inn Road fe wnaeth Ronnie gyfeirio at Frank fel Cadeirydd y Cardiff Language Society. Ond nid cynt roedd y geiriau allan o'i ben nag i ryw ffŵl di-hiwmor ymateb yn ymosodol:

'We don't want that nationalist rubbish here, mate!'

Ar daith arall ledled Cymru gyda Sioe Ryan a Ronnie fe gafodd Bryn Williams y syniad o deithio o leoliad i leoliad yn llusgo'i garafán fel y gallai gadw'r treuliau llety. Golygai hynny y byddai Bryn, ble bynnag y byddem yn perfformio, yn parcio'i garafán ym maes parcio'r gwesty lle byddem yn digwydd aros. Gweithiodd y cynllun yn berffaith – nes i ni gyrraedd Aberystwyth. Doedd yna ddim maes parcio swyddogol i'r Skinners, lle'r oedden ni'n treulio'r nos. Ond fe wnaethon ni lwyddo i wthio'r garafán i ryw gornel bach cyfyng rhwng y gwesty a siop tships y Town Clock. Arferiad Bryn, ar ôl cysgu yn y garafán, fyddai ymuno â ni i frecwast yn y gwesty. Neu yn achos y Skinners, i ginio!

Y noson honno fe wnaethon ni berfformio yn Neuadd y Brenin ac yna dychwelyd i'r Skinners am y sesh hwyr arferol. Pan wnaethon ni godi tua chanol y bore trannoeth roedd Bryn eisoes yn y bar â golwg braidd yn flinedig arno â'i lygaid yn goch. Roedd rhywrai wedi ei gadw ar ddihun drwy guro ar ddrws y garafán dro ar ôl tro. Doedd e ddim wedi sylweddoli fod John

Tyler, toc wedi i Bryn fynd i'w wely, wedi gosod poster ar ddrws y garafán yn cyhoeddi:

HAVE YOUR FORTUNE TOLD HERE!
JUST KNOCK ON THE DOOR
AND CROSS MY PALM WITH SILVER!

9.

CYMRU RYDD

(Addasiad Hywel Gwynfryn o
'A Nation Once Again' Thomas Davis)

Fe glywais amser maith yn ôl
Am rai o arwyr Cymru,
Llywelyn Fawr a'r dewr Glyndŵr
Fu dros eu gwlad yn gwaedu,
A gwn yn iawn rhyw ddydd cawn weld
Y wawr a thoriad dydd,
Cadwynau'n cael eu torri, ffrind,
A Chymru'n Gymru Rydd

Cytgan:
A Chymru'n Gymru Rydd,
A Chymru'n Gymru Rydd,
Cadwynau'n cael eu torri, ffrind
A Chymru'n Gymru Rydd.

Rhaid i ni ymladd yn barhaus
I hawlio rhyddid Cymru,
Ac nid heb aberth down yn rhydd
O'r gorthrwm sy'n ein trethu,
A gwn yn iawn rhyw ddydd cawn weld
Y wawr a thoriad dydd,
Cadwynau'n cael eu torri, ffrind,
A Chymru'n Gymru Rydd

Cytgan:

Ymlaen i'r gad, ymlaen, ymlaen
Nac ildiwn i'r un gelyn,
A'n cri i'r pedwar gwynt a fydd
Mai rhydd yw gwlad Llywelyn,
A gwn yn iawn rhyw ddydd cawn weld
Y wawr a thoriad dydd,
Cadwynau'n cael eu torri, ffrind,
A Chymru'n Gymru Rydd.

Cytgan:

Cymru Rydd, 1971

Addasiad arall o gân Wyddelig gan Hywel Gwynfryn yw hon, un a ddaeth yn rhan bwysig o'n rhaglen. Y gân wreiddiol yw 'A Nation Once Again', cân wladgarol yr ystyriwyd unwaith ei mabwysiadu fel anthem genedlaethol Iwerddon.

Awdur y gân oedd Thomas Davis, sefydlydd y mudiad 'Young Ireland'. Cymro oedd ei dad, meddyg gyda'r Magnelwyr Brenhinol. Cyfansoddodd Davis y gân yn 1844, flwyddyn cyn iddo farw. Mae'n un o nifer o ganeuon rebel a gyfansoddodd fel 'The West's Awake', 'In Bodestown Churchyard' a 'Lament for Owen Roe O'Neil'.

Yn sicr roedd 'A Nation Once Again' yn gân boblogaidd yn ardal Newtown, lle gwnaethon ni rywsut ddatblygu cytgan oedd ychydig yn wahanol i'r gwreiddiol. Bob tro y gwnaem ni ganu'r gân yn Iwerddon byddai amryw yn gofyn i ni o ble daeth y gytgan gan nad oedden nhw wedi clywed neb arall yn ei chanu fel hynny. Y fersiwn wreiddiol yw:

A Nation once again,
A Nation once again,
And Ireland long a province be
A Nation once again

Y fersiwn ychydig yn wahanol y gwnes i dyfu fyny yn ei seiniau oedd:

A Nation once again,
A Nation once again,
Home Rule will be got,
Lloyd George will be shot,
We'll be a Nation once again

Yn amlwg, o ystyried natur y gytgan, byddai mewnfudwyr Gwyddelig oedd wedi ymsefydlu yng Nghymru yn teimlo'n siomedig â Phrif Weinidog Cymreig Prydain am ei ran mewn rhannu Iwerddon ar Fai 3ydd 1921. A oedd yn haeddu cael ei saethu sy'n fater arall! Beth bynnag oedd ei gymhelliad i gymryd y cam hanesyddol hwn, y gwir amdani oedd bod y penderfyniad wedi sbarduno cyfoeth o ganeuon rebel i gantorion gwerin Iwerddon am flynyddoedd i ddod.

Recordiwyd yr addasiad o'r gân ar EP yn cynnwys un o'n hoff ganeuon traddodiadol, 'Hiraeth'. Un arall ar y record yw 'Twm Siôn Cati', cân Frank am yr herwr chwedlonol. Unwaith eto, Hywel Gwynfryn fu'n gyfrifol am yr addasiad. Y bedwaredd gân oedd 'Rheilffyrdd Bach' wedi ei chyfansoddi gan ddau oedd â diddordeb mawr mewn rheilffyrdd o'r fath, Brian Bull a

Jeremy Wormwell. Fe wnaethon ni eu cyfarfod mewn noson gymdeithasol ar gyfer hybu diddordeb yn y rheilffyrdd bach cul hynny. Ni oedd yn darparu'r adloniant cerddorol. Yr unig broblem oedd i broffesiynoldeb Recordiau Cambrian ddisgleirio unwaith eto wrth i'n henw ymddangos drwyddi draw ar amlen y record gyda chollnod. Mae melltith y collnod diangen fel petai wedi ein canlyn byth wedyn. Ie, 'The Hennessy's' gafwyd bob tro yn lle 'The Hennessys.'

Yn ddiweddarach fe wnaethon ni recordio EP gyfan o ganeuon oedd yn gysylltiedig â rheilffyrdd bach gogledd Cymru. Gwerthodd y record yn dda, yn arbennig mewn siopau anrhegion twristaidd o gwmpas Eryri.

Dyma'r flwyddyn pan wnaethon ni gyfarfod gyntaf â'r actor Ray Smith, cenedlaetholwr angerddol a Chymro tanllyd. Roedden ni wedi gweld Ray yn ymddangos yn y gyfres ddrama *Sam* oedd wedi ei ffilmio yn ardal lofaol Swydd Efrog. Yn y gyfres cafwyd perfformiad disglair ganddo fel glöwr.

Roedd Ray yn hanu o Drealaw yng Nghwm Rhondda. Roedd ei dad yn löwr a laddwyd mewn ffas pan nad oedd y plentyn ond tair oed. Cofiai Ray un olygfa ddirdynnol yn y ddrama pan fu gofyn i'w gymeriad, George Barraclough gael ei ddal yn y ffas mewn cwymp.

Roedd Ray wedi cael gwahoddiad i fod yn drefnydd llwyfaniad cerddorol a barddol gan Gyngor Dinas Caerdydd fel rhan o ŵyl a enwyd yn 'Poems in the Parks'. Y bwriad oedd agor y celfyddydau, yn arbennig barddoniaeth, i gynulleidfaoedd ehangach drwy gyfrwng cynyrchiadau, a hynny yn yr awyr agored gan ddefnyddio parciau niferus Caerdydd.

Gwahoddwyd Ray i gynnal ei gynhyrchiad ef ar safle agored yng Nghastell Caerdydd. Codwyd pabell eang ar gyfer rhaglen a seiliwyd gan Ray ar waith ei gyfaill a'i gyd-aelod o Blaid Cymru, Harri Webb, gan ganolbwyntio ar ei gyfrol o gerddi a chaneuon *The Green Desert*.

Aeth Ray ati i ddewis y perfformwyr. Un o'r amlycaf oedd yr actores Margaret John o ardal Abertawe, a ddeuai i gryn

Llun a dynnais o'r bardd Harri Webb

South Wales Echo April '71

THE ARTS —
Thursday, 29 April, 10.30 p.m.
DONALD HOUSTON in

THE GREEN DESERT

An anthology of music and verse by Poet Harri Webb and music composed by Meredydd Evans with Heather Jones, Margaret John and the Hennesseys.

Donald Houston

Gwyliwch HTV CYMRU WALES Teledu Annibynol I Cymru
Watch Independent Television for Wales

amlygrwydd yn nes ymlaen am ei rhan fel Doris yn *Gavin and Stacey*. Dewisodd hefyd ein ffrind mawr Heather Jones ynghyd â ninnau yn ogystal â chymryd rhan ei hun. Cafodd gymorth Merêd ar gyfer gosod rhai o gerddi Harri ar gân a chytunodd Harri ei hun i gyflwyno'r caneuon hynny a'u gosod yn eu cyd-destun.

Trefnwyd yr ŵyl ar gyfer penwythnos tridiau Gŵyl y Banc gyda thri pherfformiad yn ddyddiol. Cadwyd yr enw *The Green Desert* fel teitl. Bu'r ymateb i'r fenter yn galonogol iawn. Cafodd un cyfraniad yn arbennig dderbyniad brwdfrydig sef unawd digyfeiliant Heather o'r gerdd 'Colli Iaith'. Cafodd perfformiad Heather gymaint o effaith ar Harri fel iddo gyfansoddi cerdd bersonol iddi am y digwyddiad ac fe'i cynhwyswyd yn un o'i gyfrolau. Yn 'The Singer' mae'n cychwyn:

A young girl sings
A grief that's old...

Bu cynhyrchiad Ray o'r sioe yn un oedd o'r safon uchaf, a derbyniodd glod haeddiannol am ei lwyfaniad. Bu'r digwyddiad o fudd arbennig i ni gan i ni ddysgu llawer am anghenion cyflwyno gan Margaret a Ray. Canlyniad hyn oll oedd i Ray ein galw ynghyd yn ddiweddarach i recordio'r cyfan yn fyw wedi iddo lwyddo i berswadio Recordiau Cambrian i gyhoeddi albym o'r sioe yn ei chrynswth. Gwnaed hynny yng nghwrs dwy noson mewn theatr fechan yng nghyffiniau Clifton Street.

Goruchwyliwyd cynhyrchiad yr albym gan Ray a gwyddem o'r gorau i ni lwyddo i recordio perfformiad proffesiynol iawn, un a greodd awyrgylch cynnes o ran ymateb y cynulleidfaoedd i brofiad theatrig llwyddiannus a chofiadwy. Ond ychydig yn ddiweddarach dyma Ray yn cyrraedd Clwb y BBC mewn cryn dymer. Esboniodd iddo alw gyda chwmni Recordiau Cambrian er mwyn canfod sut oedd y recordiad yn datblygu. Dywedwyd wrtho fod y recordiad wedi gor-redeg. Ond yn hytrach na thorri eitem gyfan fel addasiad, aethpwyd ati i dorri'r gymeradwyaeth a'r ymateb rhwng pob eitem.

Aeth Ray o'i gof. A dyna lle bu'r peirianwyr wrthi fel lladd nadredd yn chwilio am ddarnau o dâp yma ac acw ar hyd y llawr a'u hail-lynu gyda'i gilydd. Yn anffodus, o wrando'n fanwl ar y record daw canlyniad yr ail-olygu hyn yn amlwg mewn mannau.

Dyma Ray'n cael y syniad wedyn o gynhyrchu fersiwn deledu o'r sioe a chafodd ymateb parod gan John Mead o BBC Cymru. Ffilmiwyd y cyfan yn cynnwys y cast gwreiddiol o Margaret John, Heather Jones a'r Hennessys. Ond yn anffodus roedd Ray wedi ymrwymo i waith arall a bu'n rhaid i'r actor enwog o Gwm Clydach ger Tonypandy yn y Rhondda, Donald Houston, gymryd ei le. Teledwyd y rhaglen ar nos Iau, Ebrill 29ain 1971.

Cafodd y telediad o *The Green Desert* dderbyniad da a dilynwyd hyn gan fwy o raglenni tebyg yn canolbwyntio ar waith barddol Harri. Ond unwaith eto, methodd Ray â chymryd rhan oherwydd gwahanol ymrwymiadau gwaith a chymerwyd ei le gan Philip Madoc, yr actor enwog o Ferthyr Tudful, un a oedd, fel Harri, yn amlieithog ac yn aelod o Blaid Cymru.

Seiliwyd y gwahanol raglenni ar gyfrolau barddol Harri. Roedd *A Garland for Gower* yn deyrnged i Abertawe, lle ganwyd Harri. Roedd un o'r caneuon yn ymwneud â Brandy Cove, lleoliad gweithgareddau anghyfreithlon smyglwyr gynt, gan ddefnyddio acen debyg iawn i acen Gorllewin Lloegr. Roedd hyn yn brawf arall y gwnaiff rhai pobl unrhyw beth am bres!

Rhaglen arall oedd *A Curse On Their Despoilers*, yn cynnwys cerddi a chaneuon am Gwm Cynon, lle'r oedd Harri yn byw ac yn gweithio. Roedd un o'r caneuon yn sôn am yr arwr lleol Guto Nyth Brân, y rhedwr a goffeir o hyd gyda'r Ras Nos Galan flynyddol.

Cynhyrchwyd rhaglenni eraill wedi eu seilio ar waith Harri yn cynnwys *A Crown For Branwen*. Un o'r rhaglenni teledu cyntaf i mi erioed ei recordio gydag Ar Log oedd un arall ar waith Harri, wedi ei chyfarwyddo gan John Mead ar gyfer HTV.

Ac i Ray y dylem ddiolch am ein cysylltiad â bardd Cymreig arall, John Tripp. Ganwyd John yn y Bargoed ond roedd yn ffigwr adnabyddus o gwmpas Caerdydd, yn arbennig yn nhafarndai'r ddinas. Gellid cyfeirio ato fel yr hen ddisgrifiad poblogaidd hwnnw, yn un a allai gychwyn ffeit mewn stafell wag. Fyddai bywyd byth yn ddiflas o fod allan yng nghwmni Ray a John.

Un dydd dyma Ray yn galw ac yn ein hysbysu y byddem yn mynd gydag ef a John i Ferthyr Tudful i gefnogi ymgeisydd Plaid Cymru mewn is-etholiad. Roedd wedi gwirfoddoli i ddosbarthu taflenni mewn canolfan siopa yn y dre. Fe wnaethon ni gyfarfod yng Nghlwb y BBC, hynny am y rheswm syml na fedren ni feddwl am unrhyw dafarn yn y ddinas a fyddai'n caniatáu i John yfed ynddi. Câi ei lysenwi fel 'The Bard of Cardiff' am y rheswm syml, yn ôl rhai, ei fod yn 'barred' o bob tafarn yng Nghaerdydd.

Dylid adrodd y stori nesaf mewn acen Caerdydd os am gael yr effaith llawn. Gadawsom y clwb yn llawn bwriadau da. Ond mae yna lawer o dafarnau rhwng Caerdydd a Merthyr Tudful ac erbyn diwedd y prynhawn roedden ni mewn tafarn ar gyrion Caerdydd. Fe wnaethon ni ymhen hir a hwyr gyrraedd Merthyr ond yn rhy hwyr i fod o unrhyw ddefnydd o ran canfasio. Ond fe wnaethon ni glywed araith ysbrydoledig gan Emrys Roberts, ymgeisydd Plaid Cymru. Gorffennodd ei araith gyda geiriau Dic Penderyn wrth i hwnnw wynebu'r crocbren:

'O Arglwydd, dyma gamwedd!'

Gellid bod wedi defnyddio'r union eiriau i ddisgrifio'n cyfraniad ni i'r achos cenedlaethol ym Merthyr!

10.

ROWND YR HORN

Rownd yr Horn

Daeth diwrnod i ffarwelio ag annwyl wlad y Cymro
Gan sefyll ar hen dir y Werddon las,
Fe gododd gwynt yn nerthol y môr â'i donnau rhuthrol
Gan olchi dros ein llestr annwyl las.

Cytgan:
Dewch Gymry glân i wrando ar ein cân
Fel bu y fordaith rownd yr Horn, rownd yr Horn,
Sef y trydydd dydd o'r wythnos ychydig cyn y cyfnos
Gan basio ger glân greigiau glannau Môn.

Rwy wedi mynd a dŵad mewn llongau hardd 'u gweled
Ond dyma'r wyrcws benna gefais i,
Does yma ddim i'w fwyta ond gwaith sydd lond ein breichia,
O, calon pwy all beidio bod yn brudd!

Cytgan:
Dewch Gymry glân i wrando ar ein cân
Fel bu y fordaith rownd yr Horn, rownd yr Horn,
Sef y trydydd dydd o'r wythnos ychydig cyn y cyfnos
Gan basio ger glân greigiau glannau Môn.

Record Maralene Powell a Gareth Edwards

Dyma un o'r ychydig ganeuon y byddwn ni'n dal i'w chanu wedi i ni ei dysgu hanner canrif yn ôl. Mae hi'n dal i gael ymateb brwdfrydig gan gynulleidfaoedd. Sianti yw hi, cân forwrol, a Rhydderch Jones wnaeth ei chymeradwyo i ni. Fe chwysodd waed wrth geisio'n dysgu ni i ynganu llinell ola'r gytgan.

Fe wnaethon ni ganu 'Rownd yr Horn' ar *Disc a Dawn* ac yna cafodd ei chynnwys ar yr un EP ag 'Ar Lan y Môr' gan ei bod yn un addas i gyd-fynd â thema forwrol y record.

Yn ogystal â pherfformio ledled Cymru gyda Ryan a Ronnie fe wnaethon ni ddechrau teithio ymhellach. Un o'n hoff leoliadau oedd Atlantic House yn Hardiman Street yn Lerpwl. Byddem yn perfformio weithiau mewn clwb gwerin gerllaw ac yn lletya mewn gwesty yn perthyn i fudiad Stella Maris. Yn syml, cenhadaeth i forwyr yw Stella Maris o dan nawdd yr Eglwys Gatholig. Ei ystyr yw Seren y Môr. Roedd mwyafrif y lletywyr yn forwyr tramor oedd yn gorfod disgwyl am ychydig ddyddiau cyn ymuno â'u llong nesaf.

Ar lan y môr yn Aber

Ymarfer yn Neuadd y Brenin yn Aber

Yn y cyfnod cyn dyfodiad y *sat-nav* hollwybodus byddem yn gorfod dibynnu ar wybodaeth pobl leol er mwyn canfod ein ffordd ar wahanol deithiau. Felly, ar ein hymweliad cyntaf â Lerpwl dyma oedi ar gyrion y ddinas a gofyn i ddyn lleol am y ffordd i eglwys gadeiriol Christ the King. Gwyddem fod y gwesty wrth ymyl yr eglwys honno. Ymddiheurodd y dyn a dweud nad oedd erioed wedi clywed am y fath le.

'Mae'n rhaid dy fod ti,' meddem, 'dyna'r Eglwys Gadeiriol Gatholig newydd.'

'O,' meddai'r dyn, 'rych chi'n chwilio am Paddy's Wigwam felly!'

Dyna oedd yr enw yn lleol ar yr adeilad modern hwnnw oherwydd ei siâp. Ac ar ôl ein cyfeirio yno, ffwrdd ag e.

Trefnydd y clwb gwerin a gynhelid bob nos Wener oedd offeiriad, y Tad Brownbill a oedd, cyn mynd i'r offeiriadaeth, wedi bod yn gweithio yn y diwydiant ffasiwn yn Llundain. Cawsom aml i hanesyn doniol ganddo amdano'n sleifio allan o'r athrofa i ymuno â'i gyn-gydweithwyr yn Carnaby Street pan fyddai pawb arall yn clwydo.

Roedd y clwb yn fenter drefnus iawn gydag aelodau cyfeillgar tu hwnt. Cyn i ni droi am adre ar fore dydd Sadwrn byddai'n rheidrwydd galw yn y Philharmonic, tafarn hynafol hyfryd oedd bron iawn y drws nesaf i Atlantic House.

Lleoliad arall y byddem yn ei fynychu yn Lerpwl oedd clwb nos a gynhelid mewn hen long amffibiaidd sef *landing craft* o'r Ail Ryfel Byd a enwyd yn Club Landfall. Y tro cyntaf i ni fod yno fe wnaethon ni gyrraedd yn hwyr, dim ond ychydig funudau cyn roedden ni i fod i berfformio. Fel arfer byddem yn gofalu cyrraedd pob lleoliad mewn da bryd er mwyn profi awyrgylch y lle a chael cyfle i sgwrsio â rhai o'r gynulleidfa. Ond yn bwysicach fyth mewn dinas fel Lerpwl, roedd yn rhaid cofio bod pêl-droed yn grefydd yno.

Ar y ffordd fyny roeddwn i wedi clywed hanesyn ar y radio am George Best, stori a allai fod yn ddefnyddiol fel rhan o'r cellwair o'r llwyfan. Fyny â ni i berfformio, ond ddim cyn i mi ofyn yn frysiog i yfwr wrth y bar pa dîm oedd e'n ei gefnogi. Ei ateb oedd:

'Everton!'

Yn nes ymlaen dyma fi'n cyflwyno cân gyda'r sylw:

'Fe wnes i glywed ar y radio ar y ffordd fyny fod George Best wedi rhoi'r gorau i chwarae pêl-droed dosbarth cyntaf.'

Ac ar ôl saib er mwyn creu effaith, dyma fi'n ychwanegu:

'Mae e' am ymuno â Lerpwl!'

A dyma dawelwch llethol. A finne'n sylweddoli i mi, mae'n rhaid, yn fy mrys i fynd ar y llwyfan, holi'r unig gefnogwr Everton oedd yn y lle! Diolch byth, cefais faddeuant. Ond dysgais wers bwysig y noson honno.

Ychydig filltiroedd i'r gogledd o Lerpwl yn Southport roedd clwb gwerin poblogaidd arall. Câi ei gynnal mewn neuadd oedd yn perthyn i Eglwys Gatholig Saint Peter's a Saint Paul's, os cofiaf yn iawn. Un o'r ffyddloniaid oedd Brian Jacques, awdur, bardd a sefydlydd ac aelod grŵp gwerin o'r enw The Liverpool Fishermen. Brian a'i frodyr oedd yr aelodau. Yn ddiweddarach daeth yn enwog fel sefydlydd cwmni llyfrau plant Redwall.

Yn ystod un o'r troeon roedden ni yno fe wnaeth adrodd rhai o'i gerddi. Roedd e'n wirioneddol ddoniol. Cofiaf un gerdd yn arbennig, cerdd ar batrwm y rhaglen deledu i blant, *Jackanory* am Noddy yn chwilio drwy Lerpwl am y fro hud a elwid yn Upper Parliament Street. Roedd y gynulleidfa yn ei dyblau!

Dyma'r flwyddyn pan wahoddwyd ni i fod yn rhan o ddathliadau Gŵyl Ddewi i'r Cymry yn Llundain yn Neuadd Albert. Mynnai Paul mai mynd ar y llwyfan yno oedd y feddyginiaeth orau oedd yn bod i wella rhwymedd. Ond y syndod mwyaf pleserus i ni wrth i ni gyrraedd y drws cefn llwyfan oedd cael ein cyfarch gan y gofalwr. Gofynnodd ai ni oedd yr Hennessys? Fe wnaethon ni gadarnhau hynny. A dyma fe'n cyflwyno amlen i ni. Ynddi roedd cerdyn cyfarch oddi wrth Tony Davies a'r ffyddloniaid o'r Cross Keys yng Nglanconwy yn dymuno i ni bob lwc.

Dyma'r flwyddyn hefyd pan wahoddwyd ni gyda Ryan a

Ronnie i ddiddanu aelodau Cymreig yr Heddlu Metropolitan yn Neuadd Ddawns y Lyceum yn Llundain. Bu'n noson i'w chofio a arweiniodd wedi'r sioe at sesiwn o yfed hwyr mewn tafarn gyfagos.

Pan ddaeth yn amser i ni adael fe wnaeth yr heddlu ein hebrwng ni allan o'r ddinas. Fe wnaethon ni gymryd yn ganiataol mai ein hebrwng ni allan o gyffiniau Llundain yn unig a wnâi'r osgordd. Ond na, fe wnaethon nhw ein hebrwng ymlaen i Berkshire. Yno fe gymerodd Heddlu'r sir honno drosodd, ac yna gwahanol heddluoedd eraill yr holl ffordd at Wasanaethau Aust ar Bont Hafren ar draws y ffin i Gymru. Yno hysbyswyd ni gan yr heddlu na fedren nhw fynd â ni ymhellach. Byddai'n rhaid i ni gymryd ein siawns o'r fan honno ymlaen. Ac i ffwrdd â nhw. Yn amlwg, roedden nhw wedi clywed pa mor llym oedd Heddlu Gwent!

Noson arbennig arall yng nghwmni Ryan a Ronnie, ac un gofiadwy iawn i fi fel cefnogwr i Glwb Rygbi Caerdydd, oedd y noson honno pan aethon ni â'r sioe i Glwb Rygbi Cefneithin. Yr achlysur oedd dathliad hanner canrif o fodolaeth y clwb. Roedd Ronnie wedi'i eni a'i fagu yng Nghefneithin fel yr oedd Barry John. Yn wir, ei dad oedd stiward y clwb.

Fel rhan o'r dathliadau fe wnaeth Clwb Rygbi Caerdydd anfon tîm i chwarae yn erbyn Cefneithin ac fe wnaeth Ronnie drefnu i ni lwyfannu sioe yn y clwb yn dilyn y gêm. Fe wnaethon ni deithio yno mewn bws gyda'r tîm. Does gen i ddim cof pwy wnaeth ennill, heb sôn am gofio'r sgôr, ond gwn i ni gael amser arbennig o hwyliog.

Rhaid ychwanegu stori arall sydd ynghlwm wrth gynffon hon. Tua'r adeg hon fe wnaethon ni ymgynnull yn stiwdio'r BBC un dydd Sadwrn i ymarfer ar gyfer *Disc a Dawn*. Roedd Gareth Edwards a Maralene Powell yn ymddangos hefyd yn canu deuawd. Roedd y ddau wedi recordio addasiad o gân Lee Hazlewood a Nancy Sinatra, 'Did You Ever?' gyda'r teitl 'Wyt Ti Weithiau?'

Roedden ni wedi bod yn ymarfer drwy'r dydd, a doedd

Brian Jacques
'Liverpool Fishermen'

hynny ddim yn plesio gan fod Caerdydd yn chwarae gartref a finne'n methu bod yno. Yn hwyr yn y prynhawn fe wnes i adael y stiwdio am saib ac i danio sigarét. Pwy oedd yn cyrraedd yr un pryd ond rhai o chwaraewyr Caerdydd. Roedd Gerald Davies yno os dwi'n cofio'n iawn ac yn bendant Gary Samuel. Byddai'n aml yn eilydd i Gareth. Ac roedd Barry John yno.

Fe wnaethon nhw ofyn a oedd Gareth yn y stiwdio. Minnau'n cadarnhau ei fod yno a gofyn iddyn nhw a hoffen nhw fynd mewn i wrando arno'n canu gyda Maralene Powell mewn rihyrsal. Fe wnes i eu hebrwng draw i'r stiwdio. Ac yno mewn cornel tywyll fe wnaethon ni wylio a gwrando ar Gareth a Maralene yn canu. Yna, ar ôl tipyn o chwerthin, allan â ni eto. A dyma fi'n gofyn cwestiwn i Barry a hwnnw'n ateb. Fel hyn yn union aeth y sgwrs:

Fi: 'What did you think of that, then?'

Barry (wedi saib): 'Well, he's a fuckin' good scrum half!'

Gareth a Barry yn paratoi ar gyfer gêm gyda thîm rygbi Caerdydd

11.

THE ROAD AND THE MILES TO DUNDEE

(Traddodiadol)

Cauld winter was howlin' o'er moor and o'er mountain
And wild was the surge of the dark rolling sea,
When I met about daybreak a bonnie wee lassie,
Wha asked me the road and the miles to Dundee.

Says I, 'My young lassie, I canna' weel tell ye
The road and the distance I canna' weel gie.
But if you'll permit me tae gang a wee bittie,
I'll show ye the road and the miles to Dundee.'

At once she consented and gave me her arm,
Ne'er a word did I speer wha the lassie may be,
She appeared like an angel in feature and form,
As she walked by my side on the road to Dundee.

I took the gowd pin from the scarf on my bosom
And said 'Keep ye this in remembrance o' me.'
Then bravely I kissed the sweet lips o' the lassie,
E'er I parted wi' her on the road to Dundee.

So here's to the lassie, I ne'er can forget her,
And ilka young laddie that's listening to me,
O never be sweer to convoy a young lassie
Though it's only to show her the road to Dundee.

Paul

Great Little Trains

Er mai cân draddodiadol yw hon, i mi, un o ganeuon Paul yw hi. Fe wnes i ei chynnwys yma am nifer o resymau. Ry'n ni'n dal yn 1971, a dyna'r flwyddyn pan adawodd Paul y grŵp. Roedd e wedi cyfarfod â merch o'r Alban a phenderfynodd adael Caerdydd i fod gyda hi yno.

Rwy wedi bod o'r farn o'r dechrau mai Paul, o blith y tri ohonom, oedd â'r llais gorau. Rhyw leisiau go-lew sydd gan Frank a finne, lleisiau ar gyfer unrhyw achlysur y medrwn eu haddasu yn ôl y gofyn. Rhyw leisiau ffwrdd-â-hi. Ond roedd i lais Paul rhyw naws arbennig ac ansawdd swynol.

Roedd hon yn un o'r caneuon a wnâi adlewyrchu'r rhinweddau hyn ac yn un o'r caneuon cynnar hynny y gwnaethon ni ei chanfod tra'n byw yn ein carafán draw yn Iwerddon. Yn ystod ein cyfnod yno byddem yn treulio bron bob nos yn perfformio mewn rhyw leoliad neu'i gilydd o gwmpas Dinas Corc. Byddai disgwyl i wahanol artistiaid fel ni berfformio rhaglen ddwyawr. Roedd gofyn i ni felly fedru llenwi'r ddwyawr â chaneuon poblogaidd y cyfnod yn ogystal â dysgu caneuon newydd pan fyddai hynny'n bosib.

Fe wnaethon ni lwyddo i ennill cryn boblogrwydd ymhlith cynulleidfaoedd y ddinas a'r cyffiniau, hynny gyda chymorth

Paul

Christy Whitnell. Ef fu'n allweddol i'n penderfyniad i symud o Ardmore i Ddinas Corc a threuliai lawer o'i amser yn trefnu cyngherddau i ni. Yn wir, tad Christy sef Billy wnaeth lwyddo i ffeindio carafán i ni a threfnu ein symudiad yno.

Un diwrnod dyma ddwy ferch oedd ymhlith ein dilynwyr selocaf, Anne O'Mahoney a Patty Kenny yn galw gyda chopi print o'r gân werin hon. Roedden nhw wedi ei chlywed ac wedi ffoli arni ac yn awyddus i ni ei chynnwys yn ein cyngherddau. Ac fe wnaethom hynny.

Fe wnaeth Paul ffoli arni o'r cychwyn cyntaf, ac fe'i hawliodd iddo'i hun. A phan wnaethon ni recordio'n halbym cyntaf fe wnaethom ei dewis fel cân deitl. Roedd hi'n gwbl addas gan fod yr albym yn gasgliad o ganeuon y gwnaethom eu canfod yn ystod ein crwydradau, hynny'n rhoi ystyr i'r teitl: 'The Road and the Miles'.

Roedden ni wedi canfod dwy o'r caneuon, 'Paddy, Lie Back' a 'The Manchester Rambler' yn Ardmore, diolch i'r bechgyn lleol, Tommy Mooney, Tony Gallagher, Donal O'Brien a Hugh O'Reilly. Roedden nhw wedi eu canfod drwy Barry Halpin, athro ysgol o dref St Helen's yng ngogledd Lloegr. Roedden ni wedi cyfarfod â Barry pan oedd yn canu dros wyliau'r haf yn nhafarndai Ardmore. Roedd e'n dipyn o hipi oedd yn chwarae'r whisl dun. Pan fu farw rai blynyddoedd yn ddiweddarach ar ynys Goa, fe gafodd ei gamgymryd am Lord Lucan!

Fe wnaethon ni ddysgu caneuon eraill, rhai ohonynt yn

ganeuon y clywsom Dominic Behan yn eu perfformio yn yr Estonian Club yng Nghaerdydd. Yn eu plith roedd 'Take it Down From the Mast', 'Liverpool Lou' a 'The Rifles'.

Roedd dylanwadau cerddorol Paul yn eang iawn. Un o'i ffefrynnau, un a gynhwyswyd ar yr albym, oedd cân Jimmy Rodgers, 'Waiting for a Train'. Ond fel y cyfeiriais yn gynharach, fe wnaeth Recordiau Cambrian draed moch o bethau drwy roi dau deitl gwahanol i'r albym a cham-enwi rhai o'r caneuon.

Fe aeth 1971 yn ei blaen felly gyda Frank a minnau'n perfformio fel deuawd. Dyma'r flwyddyn hefyd yr aethpwyd ati i geisio datblygu'r berthynas rhwng y cenhedloedd Celtaidd. Yn Iwerddon roedd Con O'Connell o'r Bord Fáilte wedi sefydlu

1971

Gŵyl Pan-Geltaidd ac roedd yna wyliau cerddorol newydd yn ymddangos yn Llydaw.

Yna dyma dderbyn galwad gan Merêd yn esbonio'i awydd am weld Cymru'n cael ei chynrychioli mewn cynifer o'r gwyliau cerddorol hyn â phosib. Gofynnodd a fyddem ni'n barod i fynd i Killarney i fod yn rhan o'r fenter yno. Gwahoddodd hefyd Meic Stevens. Ac i ffwrdd â ni i Killarney.

Roedd yno amryw o gystadlaethau canu ac fe wnaeth Merêd ein hannog i gystadlu ymhob adran bosib – unawd, grŵp, traddodiadol a gwerin cyfoes. Ac fe wnaeth Frank a finne benderfynu cystadlu ymhob dosbarth oedd yn agored i ni. Fe wnaethon ni hyd yn oed gynrychioli Cernyw drwy gyfeilio i'r gantores o Gernyw, Barbara Wooton – er y byddem yn cystadlu yn ei herbyn! Fe wnaeth Merêd a'i briod Phyllis hefyd berfformio mewn cyngherddau gyda'r nos.

Rhan bwysig o'r ŵyl oedd y gystadleuaeth Cân Geltaidd gyda'r chwe chenedl Geltaidd yn canu caneuon oedd wedi dod i'r brig mewn cystadlaethau yn eu gwahanol wledydd. Y chwe enillydd cenedlaethol fyddai'n cystadlu yn y brif gystadleuaeth yn Killarney. Yng Nghymru dyma oedd cychwyn y gystadleuaeth Cân i Gymru.

Cân yn cael ei chanu gan Eleri Llwyd oedd enillydd Cymru gyda'r gitarydd Peter Griffiths yn cyfeilio. Y gân a ddewiswyd i gynrychioli Cymru oedd 'Nwy yn y Nen' gan Dewi Pws. Yn ystod yr ymarferion fe sylwodd Merêd fod gan y Gwyddelod fand o wyth cerddor yn gefndir i'w cân ac fe benderfynodd y dylai Eleri hefyd gael mwy o gerddorion i atgyfnerthu cyfraniad Peter. Fe wnes i felly chwarae'r mandolin gyda Meic Stevens ar y gitâr fas. Roedd Merêd yn benderfynol y byddai Cymru'n creu argraff. Fe ddyfarnwyd y gân yn ail yn y gystadleuaeth.

Yn dilyn yr ŵyl yn Killarney, gwahoddwyd ni i ŵyl yn Llydaw yn nhref borthladd Brest. Gŵyl i offerynwyr y bagbib oedd hon yn bennaf yn rhoi llwyfan offerynwyr Llydewig yn chwarae'r bombard, y binioù a'r bagadoù ac i bibyddion Albanaidd. Os cofiaf yn iawn, ni oedd yr unig artistiaid Cymreig oedd yno.

Festival celtique international

• Ce soir, au P.A.C., grand gala de folk-song

vec les «Dubliners», les «Hennessys» et Serge Kerval

• *Dimanche, soirée de clôture avec Alan Stivell*

LE spectacle organisé au P.A.C. ce soir promet d'être de grande valeur.

Nous aurons l'occasion d'apprécier le talent des « Dubliners », numéro un d'Irlande et vedettes internationales. Ce groupe a fait beaucoup pour le renouveau de la musique celtique.

Mais si, par tempérament, les Dubliners, irlandais de bonne souche, continuent d'être des chanteurs bien enracinés dans la tradition celtique, ils puisent aussi leur inspiration aux quatre coins du monde et leur répertoire est très varié. Aujourd'hui, leur talent est universellement reconnu.

« Les Hennessy's » est le meilleur groupe du Pays de Galles. Ses membres sont des Cardiffiens, de purs Gallois, amoureux des chants celtiques, du folk-song et des ballades irlandaises et galloises.

Serge Kerval chante le folklore d'expression française, ainsi que des chansons contemporaines se rapprochant de ce style.

• Des Bretons de talent

Annie Seguin est bien connue des Brestois puisqu'elle fut lauréate du concours de folk-song 1970.

Serge Kerguiduff et Gilles Servat chantent la Bretagne, dénoncent le folklore trelaté à hautes doses pour touristes. Mais leur répertoire comprend également des poèmes français du XVIe siècle, de Jean Boucher, Eustorg de Beaulieu, Pont-Allais. Ils chantent aussi leurs propres compositions.

Maripol est auteur, compositeur, interprète de chansons inspirées

cours. Aucun auteur ou interprète ne sera fondé à recevoir une indemnisation pour ces retransmissions.

— Les lauréats seront autorisés et même invités à faire état des résultats de ce concours pour leur publicité.

— Le comité des fêtes de Brest sera seul juge de l'application de ce règlement et ses sentences seront sans appel.

don et Yenn-Klaoda Lamy, arbitres officiels.

La lutte bretonne, sport chevaleresque et viril, se pratique toujours debout... le Breton n'attaque jamais un adversaire à terre. D'ailleurs, n'a-t-il pas prêté serment avant la rencontre et juré de lutter avec loyauté - pour son honneur et celui de son pays (gand leaded, evit va henor ha hini va bro).

Le Telegramme 8/8/71

Gŵyl Brest 1971

Doedd yno ddim llawer yn digwydd yn ystod y dydd i lenwi'n hamser. Felly fe gawsom ein hunain ar brynhawn dydd Sul glawog yn crwydro o un bar i'r llall yn cicio'n sodlau wrth ddisgwyl i'r cyngherddau gychwyn gyda'r nos.

Yn ystod ein crwydradau fe wnaethom daro ar griw o gerddorion Gwyddelig barfog yn crwydro'r strydoedd yn ddigyfeiriad. Dyma benderfynu ymuno gyda nhw i gysgodi rhag y glaw a gwlychu mewn ffordd wahanol mewn bar cyfagos. Fe wnaethon ni felly dreulio gweddill y prynhawn yng nghwmni neb llai na'r Dubliners, yn chwarae pêl-droed bwrdd ac yn yfed Guinness. Ond i Luke Kelly roedd y cystadlu gyda'r nos yn mynd i fod yn hollbwysig. Atgoffai ni bob pum munud y byddai'n gystadleuaeth ryngwladol rhwng Iwerddon a Chymru.

Penderfynwyd yn ddiweddarach y flwyddyn honno symud yr ŵyl i Lorient. Fe gychwynnodd fel y Fête Interceltique des Cornemuses. Mae'r gweddill, i fod yn ystrydebol, yn hanes. Eleni mae Lorient yn dathlu hanner canrif o fodolaeth yr ŵyl.

Nôl yn 1971 hefyd fe wnaeth Frank a finne ryddhau dwy record ar ffurf deuawd. Cyfeiriais eisoes at y ddwy, y naill yn cynnwys ‘Cymru Rydd’ a’r llall yn EP o ganeuon am reilffyrdd bach gogledd Cymru. Canlyniad hyn fu i ni dderbyn gwahoddiad gan Hywel Williams o’r BBC i ymddangos ar raglen oedd e’n gweithio arni ar y lein fach yn Eryri yn rhedeg rhwng Porthmadog a Ffestiniog.

Roedd Hywel wedi bod yn gweithio ar gyfres o raglenni ar y thema o ganeuon a’u lleoliadau perthnasol. Teitl y rhaglen arbennig hon oedd ‘The Singing Train’ ac roedd yn cynnwys hen ffrindiau i ni, Derek Boote, Mari Griffith a’r Triban. Fe wnaethon ni dreulio wythnos bleserus yn lletya mewn gwesty ar ffurf ransh gyda chabanau pren yn Llanystumdwy.

Bu’r ffilmio yn hunllef. Roedden ni’n ffilmio y tu mewn i gerbydau’r trên bach gan feimio i ganeuon oedd eisoes wedi eu recordio. Yr anhawster mwyaf oedd bod y cerbydau’n rhy gyfyng i gynnwys yr offer ffilmio angenrheidiol ar gyfer chwarae’r caneuon yn ôl i ni. Gwaeth na hynny oedd yr anhawster i fedru cael lle i’r generadur oedd yn cyflenwi’r trydan. Roedd y sŵn yn fyddarol.

Ceisiwyd goresgyn y broblem drwy gysylltu tryc gwastad wrth gwt y trên i ddal yr offer gan osod seinyddion ar ein cyfer yn y cerbyd. A bu’n rhaid i ni oddef cael ein llusgo lan a lawr drwy Eryri am wythnos gyfan tra’n meimio i eiriau’r gwahanol ganeuon.

Un dydd, yn dilyn noson arbennig o drom, synnwyd ni o weld Reg y peiriannydd sain yn cysgu’n drwm â’i ben y gorffwys ar y generadur. Ni wnaeth hyn ond cadarnhau i ni ein amheuon am sensitifrwydd clustiau peirianwyr sain y BBC!

Record yn cynnwys detholion o Disc a Dawn

12.

THE GRESFORD DISASTER

(Awdur anhysbys)

You've heard of the Gresford Disaster,
Of the terrible price that was paid,
Two hundred and sixty-two colliers were lost
And three of the rescue brigade.

It occurred in the month of September
At two in the morning that pit
Was racked by a violent explosion
In the Dennis where the gas lay so thick.

Now the gas in the Dennis deep section
Was packed there like snow in a drift,
And many's the man had to leave that coal-face
Before he had worked out his shift.

A short while before the explosion
To the shot-firer Tomlinson cried,
'If you fire that shot we'll be all blown to hell!'
And no one can say that he lied.

Now the firemen's reports are all missing,
The records of forty-two days,
The collier manager had them destroyed
To cover his criminal ways.

But the Lord Mayor of London's collecting
To help our poor children and wives,
The owners have sent some white lilies, dear God,
To pay for the poor miners' lives.

Down there in the dark they are lying,
They died for nine shillings a day;
They have worked out their shift and now they must lie
In the darkness until Judgement Day.

Glofa Gresffordd

Trychineb Gresffordd oedd un o'r trychinebau mwyaf i ddigwydd erioed yng ngwledydd Prydain. Digwyddodd ar Fedi 22ain 1934 yng Nglofa Gresffordd ger Wrecsam yng ngogledd-ddwyrain Cymru pan arweiniodd tanchwa danddaearol at ladd 265 o ddynion.

Methodd ymchwiliad dadleuol i'r digwyddiad gytuno ar achos y danchwa er i dystiolaeth awgrymu'n gryf fod methiannau mewn gweithdrefnau diogelwch a rheolaeth weinyddol ddiffygiol yn ffactorau a gyfrannodd at y digwyddiad. Ychwanegwyd at y cyhuddiadau hyn yn dilyn y penderfyniad i selio'r lefelau dan sylw, hynny'n golygu mai cyrff dim ond unarddeg o'r glowyr a laddwyd a ddygwyd oddi yno.

Er bod enw'r cyfansoddwr yn anhysbys, fe wnaeth y canwr gwerin Ewan MacColl briodoli'r gân i löwr ifanc â'r cyfenw Ford o Ganolfan Hyfforddi'r Glowyr yn Sheffield. Dyma un o'r caneuon cyntaf i mi ei dysgu erioed. Rwy'n cofio ei dysgu yn y 60au cynnar ar ôl ei chanfod mewn llyfryn o'r enw *Broadsides: Topical Songs of Wales* yn cynnwys caneuon wedi eu casglu gan Dennis O'Neill a Pete Meazey. Roedd Pete a Dennis yn berfformwyr crwydrol o gwmpas clybiau gwerin Caerdydd ar y pryd. Roedd Pete hefyd yn fardd poblogaidd a gâi ei adnabod fel 'The Bard of Canton' yn nhraddodiad Brian Jacques gyda'i gariad at y ddinas, ei hacen a'i hynodrwydd. Cadwai siop fechan yn Wyndham Arcade sef Siop y Triban, lle byddwn yn galw. Arbenigai mewn gwerthu llyfrau Cymraeg a Chymreig, cynnyrch prin iawn yn siopau Caerdydd ar y pryd.

Aeth ati wedyn i ffurfio'r band Mabsant. Yna, tra'n teithio Llydaw gyda'r band penderfynodd aros ym Morlaix. Ychydig flynyddoedd yn ddiweddarach rown i ar wyliau gyda'r teulu yn Dinan. Yno tra'n edrych yn ffenest siop lyfrau sylwais ar rai o lyfrau Pete. Cofiaf mai llyfr ar hanes Dinan oedd un ohonynt.

Billy y morlo ym Mharc Victoria

Gyda Frank ond heb Paul

Flynyddoedd yn ddiweddarach fe aeth Frank ati i osod dwy o gerddi Pete am rai o hynodion Caerdydd ar fiwsig sef 'The Grangetown Whale' a 'The Ballad of Billy the Seal'.

Ond i fynd yn ôl at Wyndham Arcade, roedd yno hefyd siop yn gwerthu offerynnau cerdd, sef Siop Gerdd Henderson. Ar werth yno yn ogystal â llyfrau a chopïau o ganeuon roedd casgliad bychan o offerynnau cerdd. Yn eu plith roedd whisls tun a phlectrymau. Chofia'i ddim gweld unrhyw offeryn yno oedd yn fwy o faint na ffidil. Byddwn yn treulio llawer o amser yno gan fod y siop hefyd yn gwerthu'r cylchgrawn Americanaidd *Sing Out*. Roedd hwnnw'n cynnwys geiriau caneuon gan berfformwyr a chantorion canu gwlad cynnar fel Hank Williams, a dau o ffefrynnau Paul, Jimmie Rodgers ac Uncle Dave Macon.

Gydag arian mor brin y dyddiau hynny, byddwn yn troi at gân yn y cylchgrawn a fyddai'n apelio ata'i, dysgu'r pennill cyntaf ar fy nghof a mynd allan i nodi'r geiriau ar bapur uwchben paned mewn caffi cyfagos neu yn Siop y Triban. Wedyn byddwn yn mynd nôl i'r siop a dysgu'r ail bennill ac yna ail-adrodd y broses. Gallai hyn fynd ymlaen am ddyddiau nes bod y gân gyfan gen i ar bapur. Un diwrnod pan gerddais i mewn i'r siop cefais fy nghyfarch yn ysgafn gan Eric, y perchennog gyda'r geiriau: 'Wnei di rywbryd brynu rhywbeth o'r blydi siop yma?' Yr ateb syml oedd 'Na!' Yn wir, dydw'i ddim yn meddwl i mi erioed wneud! Wel, ar wahân i blectrwm, hwyrach.

Roedd Eric Henderson yn dipyn o gymeriad. Roedd ganddo hiwmor arbennig iawn. Roeddwn i yn y siop un diwrnod pan gerddodd menyw i mewn yn awyddus i brynu 'kazoo' i'w mab. Rhyw offeryn bach syml, a'i sŵn fawr gwell na'r sŵn gewch chi drwy chwythu drwy grib a phapur, yw 'kazoo'. 'Nawr 'te,' meddai Eric, 'ydi chi am un llaw chwith neu un llaw dde?' Wrth gwrs, dydi e'n gwneud dim gwahaniaeth o gwbl ym mha law fyddwch chi'n dal 'kazoo' gan mai'r cyfan sydd ei angen yw ei chwythu. 'O, does gen i ddim syniad. Gwell i fi ofyn i'r gŵr,' meddai'r wraig. Galwodd ar ei gŵr a daeth hwnnw i mewn. Aeth yn drafodaeth hir. O'r diwedd dyma'r gŵr yn gofyn: 'Faint yw pris kazoo?' Ac Eric yn ateb: 'Hanner coron.' A dyma'r dyn yn dod i benderfyniad gan ddweud: 'Fe awn i ag un o bob un felly.' Lapiwyd y ddau offeryn mewn bag papur a dyma ddyn y siop yn derbyn tâl am ddau 'kazoo'. Ac allan â'r gŵr a'r wraig, y ddau yn hapus eu byd.

Aeth 1972 yn ei blaen yn debyg iawn i'r flwyddyn cynt. Buom yn brysur mewn gigs ledled Cymru a thu hwnt. Ond wrth i'r sefyllfa wleidyddol yng Ngogledd Iwerddon ddwysáu, daeth y galwadau yn anamlach. Gyda'r fyddin wedi ei galw i mewn yno, daethom i sylweddoli fod mwy a mwy o bobl oedd â thadau, meibion neu frodyr yn gwasanaethu yno. Golygodd hyn hepgor y caneuon rebel ac fe wnaethom ganolbwyntio fwyfwy ar ganeuon oedd yn ymwneud â Chymru a'r Gymraeg.

Un digwyddiad a wnaeth amlygu'r broblem oedd un a ddigwyddodd ar ôl noson yng Nghaerfyrddin pan oeddem yn perfformio gydag Alex Campbell. Yn dilyn y perfformiad, wrth yfed peint neu ddau yn ein gwesty, dyma sylweddoli fod Alex yn edrych yn annifyr iawn yn dilyn y newyddion am ddigwyddiad erchyll pan ddenwyd tri milwr ifanc o'r Alban gan ferched ifainc a'u harwain i drap. Lladdwyd y tri. Cythruddwyd Alex gan y weithred ddi-fudd honno. Amhosibl oedd i ni anghytuno ag ef.

Y flwyddyn honno roedd un digwyddiad yn sefyll allan o'n safbwynt ni. Y digwyddiad hwnnw oedd Streic y Glowyr 1972. Asgwrn y gynnen oedd cyflogau. Ac anodd fyddai anghytuno â safiad y glowyr. Yn ystod y 50au roedd cyflogau glowyr yn agos i frig y tablau o enillion gweithwyr diwydiannol. Ond yn ystod y 60au disgynnodd eu cyflogau o'u cymharu â gweithwyr diwydiannol eraill. Erbyn 1970 roedd glowyr yn ennill 3.1% yn llai na gweithwyr eraill yn y sector gynhyrchu.

Cychwynnodd y streic ar Ionawr 9fed 1972 a pharhaodd tan y diwrnod olaf o Chwefror y flwyddyn honno. Teimlai Frank a minnau nad oedd y glowyr yn cael eu trin yn deg gan y cyfryngau a phenderfynodd Frank gyfansoddi cân o gefnogaeth i'r streicwyr. Y gobaith oedd ei recordio a chael cyflwynwyr i'w chwarae ar raglenni ar y radio gyda'r arian a delid am ei chwarae yn mynd i gronfa'r streicwyr. Y gân oedd 'Who Will Cast a Stone?' Yna dyma benderfynu chwilio am ddwy gân addas arall i'w cynnwys gyda honno a chân glowyr Gresffordd ar gyfer eu gosod ar record EP.

Clawr y record 'Who will Cast a Stone?' (1972)

Yn ôl ein harfer, cychwynnodd ein chwilota ym mar Clwb y BBC. Roedd ganddon ni eisoes drydedd cân addas, 'Farewell to the Rhondda', cân fwyaf llwyddiannus Frank ar wahân i 'The

Old Carmarthen/ Dungarvan/ Dungannon Oak'! Roedd arnom angen un arall

Un noson roedden ni'n yfed gyda Ray Smith. Fe wnaethom esbonio wrtho am ein syniad o gynhyrchu record gyda'r gobaith y byddai, o'i chwarae ar y radio, yn codi arian i'r glowyr. A dyma ddweud wrtho ein bod ni un gân yn brin. Synnwyd ni pan ddatgelodd ei fod ef ei hun mewn cydweithrediad â'i asiant, Dickon Reid, wedi cyfansoddi cân o'r enw 'The Halfpenny Strike' wedi ei seilio ar derfysgoedd Tonypandy. Roedd Ray yn hanu o Drealaw, nid nepell o Donypandy, a dyma fe'n dechrau canu'r gân:

Have I told you, boys, of 1910
When the Halfpenny Strike began?
We stoned the cops on Pandy Square
And how the bastards ran.
And how the bastards ran, me boys,
And how the bastards ran.
You should have seen the old square clear
When the Halfpenny Strike began.

Yn ddiplomatig, fe wnaethon ni geisio esbonio mai'r syniad oedd cael y caneuon wedi eu darlledu ar y radio, ar BBC Wales yn arbennig, ond na theimlem fod ambell air yn debyg o gael sêl bendith y sensor. Wel, un gair yn arbennig, a hwnnw'n un a gai ei ailadrodd dro ar ôl tro. O glywed y geiriau, wrth gwrs, roedd y gair amheus yn amlwg. Ac yn wir cytunodd Ray. Felly dyma'i newid i 'Bluecoats' ar gyfer y record.

Cyn hir daeth yn amser i ni, gyda phedwaredd cân ar gyfer cwblhau'r record yn ein meddiant, deithio draw i Stiwdio Rockfield gyda Ray i recordio'n cefnogaeth i'r glowyr. Roedd popeth yn mynd yn esmwyth. Cawsom ein gosod yn ein lle yn y stiwdio, cynhaliwyd y profion sain ar gyfer yr offerynnau a'r meics. Ond yna yn sydyn aeth popeth yn dywyll fel y fagddu. Fe wnaethom lwyddo i ganfod ein ffordd allan drwy'r tywyllwch. A dyma Kingsley, rheolwr y stiwdio, yn egluro'r rheswm dros y tywyllwch. Doedd dim modd mynd ymlaen â'r recordiad oherwydd toriad yn y cyflenwad trydan. Roedd y toriad hwnnw wedi ei achosi gan streic y glowyr!

Doedd dim amdani felly ond trefnu dyddiad arall ar gyfer y sesiwn recordio. Yna nôl â ni i Gaerdydd i ddangos ein cefnogaeth i achos streic y glowyr drwy godi ein gwydrau yng ngolau cannwyll i lowyr de Cymru.

Wyndham Arcade yn y 60au

13.

SUO GÂN

(Traddodiadol)

Huna blentyn ar fy mynwes
Clyd a chynnes ydyw hon;
Breichiau mam sy'n dynn amdanat,
Cariad mam sy dan fy mron;
Ni cha' dim amharu'th gyntun,
Ni wna undyn â thi gam;
Huna'n dawel, annwyl blentyn,
Huna'n fwyn ar fron dy fam.

Huna'n dawel, heno, huna,
Huna'n fwyn, y tlws ei lun;
Pam yr wyt yn awr yn gwenu,
Gwenu'n dirion yn dy hun?
Ai angylion fry sy'n gwenu,
Arnat ti yn gwenu'n llon,
Tithau'n gwenu'n ôl dan huno,
Huno'n dawel ar fy mron?

Paid ag ofni, dim ond deilen
Gura, gura ar y ddôr;
Paid ag ofni, ton fach unig
Sua, sua ar lan y môr;
Huna blentyn, nid oes yma
Ddim i roddi iti fraw;
Gwena'n dawel yn fy mynwes
Ar yr engyl gwynion draw.

Aloma gyda Los Paraguayos

Ym mis Mehefin 1972 ymunwyd â Frank a finne gan Aloma Jones, merch o Fôn, gan ein gwneud ni'n driawd unwaith eto. Fe wnaeth y cyfuniad hwn brofi i fod yn llwyddiannus gyda'r harmonïau'n swnio'n llawnach a thelyn Aloma'n ychwanegu dimensiwn newydd i elfen offerynnol y grŵp. Fe wnaeth cynnwys telyn hefyd roi i ni'r fantais o fod yn ddim ond yr ail grŵp yn y sin werin ehangach i ddefnyddio'r offeryn. Y cyntaf i ddefnyddio'r delyn oedd The McPeake Family o Belfast.

Fe wnaethom, ar ein newydd wedd, ryddhau EP newydd y flwyddyn hon. Roedd hi'n cynnwys y gymysgedd arferol o'r traddodiadol a chyfieithiadau o ganeuon mwy diweddar. Roedd 'Rhyddid yn Ein Cân' yn addasiad gan ein hen gyfaill Hywel Gwynfryn o gân Kris Kristofferson, 'Me and Bobby McGee'. Cynhwyswyd hefyd eitem offerynnol Gymreig/Wyddelig 'Pwt ar y Bys/The Rakes of Mallow'. A dyma o'r diwedd recordio cân fwyaf poblogaidd Frank ymhlith cerddorion eraill, 'The Old Carmarthen Oak' sef 'Yr Hen Hen Dderwen Ddu', wedi ei chyfieithu gan Rhydderch Jones. Y bedwaredd gân oedd 'Suo

Hennessys 1973

Tangiers

Rhyddid Yn Ein Cân

Gân', hwiangerdd Gymraeg swynol, honno'n amlygu llais a thelyn Aloma.

Y peth mwyaf annisgwyl ynglŷn â'r record hon oedd i Gwmni Sain gynllunio clawr lliw pinc prydferth. Mae'n bosib mai neges gynnil oedd hon yn datgan bod yr Hennessys wedi cysylltu â'u hochr fenywaidd!

Ym mis Mai y flwyddyn honno gwahoddwyd ni i ymuno â chriw adloniadol ar fordaith ym Môr y Canoldir ar y QE2, llong deithio newydd Cunard a lansiwyd ddim ond ddwy flynedd yn gynharach. Trefnwyd y daith gan Chris Bailey o C.H. Bailey Dry Dock, Caerdydd ar ran 'The Young Presidents Organisation', mudiad yr oedd ef ei hun yn aelod ohono. Mudiad Americanaidd oedd hwn gyda'r aelodaeth yn agored i unrhyw Gadeirydd neu Lywydd o gwmni oedd â throsiant o filiwn o ddoleri neu fwy. Roedd Chris yn aelod o'r Adran Brydeinig. Roedd e'n awyddus i gael cynrychiolaeth gref ymhlith y diddanwyr felly bwciwyd ni ynghyd â chantorion Cymraeg a Chymreig eraill a dawnswyr gwerin traddodiadol.

Roedd Frank a minnau wedi cyfarfod â Chris wedi i ni gael gwahoddiad i berfformio mewn digwyddiad yn ei swyddfeydd yn y doc sych. Wrth i'r noson fynd rhagddi cawsom ein hunain yn canu yn yr awyr agored yn perfformio ar gyfer criw ar long Rwsiaidd oedd wedi angori yn y doc gyda datganiadau uffernol o'r thema o ffilm Doctor Zhivago ac un hyd yn oed yn waeth o Kalinka. Yn ffodus roedd y criw mor feddw â ni, ac fe wnaethon nhw gymeradwyo'n frwd. Yn amlwg roedden nhw'n dioddef o 'cabin fever'!

Pan wnaethon ni gyrraedd Southampton ar gyfer y fordaith fe wnaethon ni sylweddoli'n sydyn ddifrifoldeb y sefyllfa. Ymhlith y diddanwyr roedd The Joe Loss Orchestra, The Dutch Swing College Band, Los Paraguayos, Artie Shaw (clarinetydd jazz o'r radd uchaf, a dreuliodd y rhan fwyaf o'i amser yn siarad am ei wyth gwraig), ac Anton Karas a chwaraeodd 'The Harry Lime Theme' ar y *zither* yn y ffilm *The Third Man*. Roedd yna lawer o gantorion a cherddorion enwog eraill ar fwrdd y llong.

Yn wir, ni oedd yr unig berfformwyr nad oeddwn i erioed wedi clywed amdanynt!

Unwaith y gwnaethom fyrddio'r llong aethpwyd â ni i'r fan lle byddem yn perfformio am yr wythnos. Enw'r lle oedd y Theatre Bar, ac roedd, fel yr awgryma'i enw, wrth ymyl y theatr. Roedd e'n lleoliad perffaith i ni. Roedd e'n fan oedd yn werinol a chartrefol ei naws gyda goleuadau lliw pŵl, byrddau wedi eu gwneud o gasgenni cwrw â'u pen i waered a rhwydi pysgota wedi eu taenu'n chwaethus o gwmpas y lle. Roedd y cyfan yn atmosfferig ac yn berffaith ar gyfer ein rhaglen ni.

Ni fu rhai o'r cerddorion eraill mor ffodus. Roedd y Gerddorfa, wrth gwrs, yn perfformio yn y Neuadd Ddawns. Ond roedd The Dutch Swing College Band yn gorfod perfformio yn y bwyty a Los Paraguayos wedi eu gwasgu i mewn i rodfa oedd yn gwahanu'r brif eisteddle. Ein lleoliad ni oedd yr unig un lle gwnâi teithwyr ddod yn benodol i wrando ar fiwsig. O'r herwydd, yno y deuai cerddorion eraill wedi iddynt orffen perfformio. Roedd Anton a'r Swing Band yn ymwelwyr rheolaidd ac roedd Los Paraguayos yn arbennig yn mwynhau bod yno gan gymharu eu harddull ar y delyn ag un Aloma.

Nôl yng Nghaerdydd fe wnaethom gyfarfod unwaith eto â Fausto Franco, telynor Los Paraguayos, yn perfformio mewn tŷ bwyta o'r enw Fontana De Trevi yn Church Street. Yn ystod y dydd roedd yn astudio'r delyn wrth draed Ann Griffiths ac yn perfformio yn y tŷ bwyta gyda'r nos.

Cawsom ganddo o bryd i'w gilydd hanesion am Los Paraguayos. Esboniodd fod y grŵp mor effeithiol mewn hyrwyddo Paraguay fel i'w llywodraeth eu noddi ledled y byd. Golygai hynny fod yna Los Paraguayos yn perfformio yn Ewrop, un arall yn Asia, un arall yn Awstralia, hynny yw, ar bob cyfandir. Yn wir, cyn belled ag yr oedd tri neu bedwar Paraguayan yn bresennol ac yn gwisgo ponsho a chwarae telyn roedd pawb yn hapus!

Yn y cyfamser fe aeth y fordaith yn ei blaen o gwmpas Môr y Canoldir gan angori ym Madrid, Lisbon a Tangier. Trefnwyd

FOLK

MELODY MAKER, March 24, 1973—Page 53

By ANDREW MEANS

Revival in the Land of Song

THE HENNESSYS: bi-lingual

OF THE four major countries comprising the British Isles, Wales has made the least impact upon the folk song revival.

There is irony in its sub-title as "Land of Song", for although Wales is known for its religious music and choral tradition it barely calls to mind anything that might be termed folksong.

After "Men Of Harlech" and possibly "The Gresford Disaster" and "Bells Of Rhymney", most people have little idea of what Welsh tradition has created in the English language let alone its own tongue.

There are perhaps two pre-eminent reasons for the tenuity of the Welsh contribution to the revival — John Wesley and Methodism religious revival and the language barrier.

Since the early stages of Methodism in the middle of the eighteenth century Wales has come to be associated with solemn piety.

The English misconception that Methodism exterminated the Welsh traditional song that preceded it arises partly from ignorance of the Welsh language. The result is that the Welsh folk revival has been severed from the chains of oral and written communication.

There is however a Welsh folk revival, insular though it may be. Its progress is possibly not helped by the fact that the country is bilingual.

The language difference has had its effect upon the song revival. While a string of clubs has been established through South Wales and on the west coast, it appears that the music and guests have largely been derived from England, Scotland and Ireland. In other words English speaking.

The Welsh language and song tradition has its own advocates, ranging from the tolerantly bi-lingual to the hard line militants who scorn any example of Welsh song not sung in the indigenous language. To some extent this dichotomy has split the strength of the revival. At the same time new songs of a high standard are being produced in English and Welsh.

The Welsh revival, in its patchwork of shortcomings and creative vitality, has recently been represented by a tour organised by Dafydd Jones of Cwlb Gwerin Celtaidd (Celtic Folk Club) at Portmadoc.

Dafydd — known as Stan to distinguish him from the many other Dafydds that Wales has produced — arranged a bill that included acts in Welsh and acts in English. Whereas Dafydd Iwan, Heather Jones and Eleri Llwyd communicated with audiences solely in Welsh, The Hennessys sang songs in both languages and Scottish guest Alastair McDonald added a little flavour by injecting his predominantly English speaking sets with touches of Gaelic.

Most of the venues were community centres of various sort — spanning such towns as Aberystwyth, Carmarthen, Blaenau Ffestiniog, Harlech, Criccieth, Llanfyllin and Caernarfon — and the audiences were drawn from virtually every age group. At least this was true of the final two dates at Neuadd y Llwyf, Llanfyllin (Montgomeryshire) and The Majestic, Caernarfon.

Llanfyllin particularly was a family gathering. Possibly it was a little short of teenagers from about sixteen onwards, but children packed the front rows and were obviously a major target for some of the performers. Their parents and grandparents sat a few rows back, joining in choruses when encouraged.

The feeling at that concert was of a community enjoying communal music making.

As for the acts themselves, in every case the singing made a striking impression. For although not all the performers were versed in the intricacies of tone and decoration, each displayed impressive control.

Pitching was excellent and if a note needed to be held then it was held, with none of the wavering and breathing and phrasing difficulties that sometimes harrass English folk club performers.

Dafydd Iwan topped the bill. There was no campaign or preferential treatment to build him up as such, but his position as the embodiment in many people's eyes of the Welsh Language Society and Welsh nationalism in general makes his a controversial figure.

He began his set by trampling on the Union Jack and then accompanying himself on guitar sang a number of his own songs.

Not all of his compositions are strictly nationalist. Some are based on social conditions and political events of international character, and some on basic human emotions. His voice was strong and straightforward and his accompaniments simple strummed chord sequences, but nevertheless his style of performance was expressive. Many singer/songwriters say nothing with immaculate technique. Iwan approached the antithesis.

The Hennessys, from Cardiff — Frank Hennessy, Dave Burns and his fiancee Aloma — were the only performers to include songs and song introductions in the English language.

In fact this gave rise to an argument after the concert at Llanfyllin in which Dave Burns found himself defending their bi-lingual stance. The balance of extremist versus moderate opinion lent an intriguing additional factor to the tour.

It happens that English is Frank's first language and he has written some excellent songs in it. Dave, in their defence, argued that the scansion actually sounded better in English. Regardless of this sort of comparison, songs like "Farewell To The Rhondda" with its industrial theme and Irish sounding tune, are certainly far too valuable to be kept from English speakers. In its scope, presentation and ability, the trio is possibly the most convincing acoustic group that Wales has produced. The combination of Frank's song writing and humour, Dave's instrumental ability and singing and Aloma's Welsh harp playing and singing, is impressive.

Having learnt the language about four years ago Heather Jones sang entirely in Welsh. Unlike Iwan's, her songs seemed traditional in their musical style.

From what casual translators explained, the lyrics strengthened this impression with their often mythical or pastoral themes.

Eleri Llwyd joined the bill with an accompanying violinist and guitarist at Llanfyllin. She appeared to be set on demonstrating the versatility of Welsh, even to the extent of singing a translated negro spiritual.

The one non-Welsh performer was Alastair McDonald, obviously invited as a sympathiser with the cause. If anything he drew more applause than anyone else. Although he aimed a few blows at royalty and the English establishment with "The Captains And The Kings" and a couple of songs by Jim McLean, it seems to be the specifically Scottish themes that excited his audiences most.

Overall the tour suffered from bad attendance figures, but it seems that planning rather than lack of demand was the cause of this. If nothing else, the tour emphasised the vitality and the sense of purpose existent in Welsh contemporary music.

Melody Maker

pob math o weithgareddau ar fwrdd y llong gydol yr wythnos, hynny'n golygu fod y seibiannau hyn yn fendithiol gan eu bod nhw'n rhoi cyfle i ni ymlacio.

Ymhlith y diddanwyr roedd 'escapologist'. Un noson fe'i claddwyd mewn cist arbennig yn y bwyty. Yn anffodus fe anghofiwyd amdano gan y bwytawyr tan fore trannoeth. Fe wnaeth pawb ohonom fel perfformwyr sefyll yn rhesi ar y dec wrth i ni lanio yn Lisbon, hynny i gerddoriaeth band prifysgol enwog y ddinas. Dyna ble roedden nhw yn chwarae eu 'guitaras' ac wedi eu gwisgo yn eu pantalŵns a'u mentyll traddodiadol. Yna yn sydyn fe'u gyrrwyd ar chwâl wrth i ambiwlans a'i seiren yn sgrechian sgrialu tuag atom cyn stopio wrth y bont a gysylltai'r llong a'r lanfa. A dyma'r Great Suprendo, sef yr 'escapologist', yn cael ei ruthro ar stretsier tua'r ambiwlans. Do, fe lwyddodd i ddianc o'r gist ond ddim yn y ffordd roedd pawb wedi ei ddisgwyl!

Cyn gadael y llong i grwydro'r gwahanol borthladdoedd câi pawb ohonom ein goleuo ar yr arferion lleol y byddai disgwyl i ni eu dilyn. Cyn i ni lanio yn Tangier cynghorwyd ni i beidio byth â thalu'r prisiau gofynnol yn y marchnadoedd ond i ni yn hytrach fargeinio neu haglo â'r gwerthwyr. Yna dyma ni bant tua'r Casbah i brynu swfenîr neu ddau. Roedd Aloma'n awyddus i brynu presantau i'w chwaer, a dyma gael ein denu at stondin yn gwerthu nwyddau lledr fel gwasgodau, bagiau llaw a phyrsiau. Dyma'r stondinwr yn ei wisg draddodiadol sef 'djellaba' a 'fez' yn ein cyfarch. Wrth i ni ddechrau haglo fe wnaeth criw o Americanwyr ifanc ymgynnull o'n cwmpas. A dyma'r stondinwr yn sylwi fod rhai ohonyn nhw'n dwyn mwclis a'u stwffio i'w pocedi. Dyma waedd:

'Get out you Yankee bastards!'

Trodd y darpar ladron a rhedeg bant, a'r stondinwr yn dal i'w dwrdio gyda rhegfeydd rhy lliwgar i'w hailadrodd yma. Yna fe sylweddolodd ein bod ni yn dal wrth ymyl ei stondin. Fe ymddiheurodd yn ddwys.

'I'm so sorry. These Yankees are bandits, not like you English people.'

Fe wnes i dderbyn ei ymddiheuriad ond fe wnaeth Aloma fynnu ei gywiro.

'I'm not English, I'm Welsh.'

'Oh really', meddai. 'What part North or South?'

'I'm from North Wales', atebodd Aloma.

'Do you know Bangor, Caernarfon, Llangefni?' medde'r dyn.

'I'm from Llangefni,' meddai Aloma.

Ymledodd gwên lydan ar draws ei wyneb, ac meddai, 'The Bull in Llangefni. I drink there every week after the market for three years.'

Dyma ddeall iddo unwaith weithio i gwmni o Fanceinion fel masnachwr a oedd yn teithio o gwmpas gwahanol drefi gogledd Cymru ar ddyddiau masnach. Yn amlwg roedd wedi cael addysg dda gan y gogleddwyr gan i ni orfod haglo'n hir ac yn daer cyn llwyddo i brynu unrhyw beth oddi wrtho.

Nôl ar y llong fe wnaethon ni ail-gydio yn ein gwaith o berfformio. Roedden ni wedi sylweddoli ers tro na fedren ni barhau yn hir o dalu prisiau'r diodydd ym mariau'r teithwyr. Ond dyma ganfod y medrem hawlio, gan i ni arwyddo cytundeb, ein bod ni'n aelodau swyddogol o griw'r llong. Ar sail hynny medrem ddefnyddio'r bariau islaw'r dec a oedd at ddefnydd y criw. Doedd dim byd yn foethus yn eu cylch. Doedd ynddynt ond un math ar gwrw ond roedd y cwrw hwnnw ynghyd â'r gwirodydd yn llifo fel dŵr. Câi'r diodydd eu gweini drwy hatsh o ffenestri bach gan aelodau o'r criw gan weithio dull rota. Ymddangosai fel bod mewn cantîn ar gyfer gweithwyr ffatri, ond diawch, roedd e'n rhad. Fe fyddem yn yfed peint (neu ddau) cyn symud fyny'r grisiau i ddiddanu'r teithwyr yn y Theatre Bar.

Roedd hon yn fordaith unwaith-mewn-oes ac mae yna doreth o hanesion yn dal heb eu hadrodd. Ond rhaid eu hepgor am y tro, yn arbennig felly hanes Frank yn cael ei wahardd o gasino'r llong! Rywbryd eto, hwyrach!

Gwisg addas ar gyfer mordaith ar Fôr y Canoldir?

14.

THE PARTING GLASS

(Traddodiadol)

Of all the money that e'er I spent
I've spent it in good company
And all the harm that ever I did
Alas it was to none but me
And all I've done for want of wit
To memory now I can't recall
So fill to me the parting glass
Good night and joy be with you all

If I had money enough to spend
And leisure to sit awhile
There is a fair maid in the town
That sorely has my heart beguiled
Her rosy cheeks and ruby lips
I own she has my heart enthralled
So fill to me the parting glass
Good night and joy be with you all

Oh, all the comrades that e'er I had
They're sorry for my going away
And all the sweethearts that e'er I had
They'd wish me one more day to stay
But since it falls unto my lot
That I should rise and you should not
I'll gently rise and softly call
Good night and joy be with you all

Aloma, Frank a'r Yetties yng Nghyprus

Hon yw'r gân a fyddai fel arfer yn cloi ein nosweithiau canu gwerin. Cân yw hon y gwnaethom ei dysgu ar ôl ei dwyn yn gwbl ddigywilydd oddi wrth ein harwyr mawr y Brodyr Clancy a Tommy Makem. Mae'r teimlad a gaiff ei greu gan y gân yn gweddu'n berffaith fel cân i gloi perfformiad ar ddiwedd nos.

Yn ystod y flwyddyn hon, sef 1973, fe ddaethom i sylw Jim Lloyd, cyflwynydd rhaglen werin y BBC, *Folk on Two*. Roedd Jim hefyd gyda'i wraig Frances Line yn gweinyddu asiantaeth oedd yn arbenigo mewn hyrwyddo cerddorion a chantorion gwerin. Frances oedd yn cynhyrchu *Folk on Two* cyn iddi ddringo'n ddiweddarach i fod yn Rheolwr Radio 2.

Roedden ni wedi gweithio gyda rhai o'u perfformwyr ar hyd y blynyddoedd. Yn eu plith roedd The McCalmans, The Yetties ac Isla St Clair, a Jim wnaeth awgrymu y byddai'n syniad da i ni hefyd ymuno â'u hasiantaeth. Fe anfonodd gytundeb i ni ei ystyried ac fe wnaethom ni ei drosglwyddo i John Darren i gael golwg arno. Yn ogystal â bod yn ddarlledwr newyddion i'r BBC roedd John hefyd yn dwrne ac fe graffodd ar y cytundeb ar ein rhan.

Mewn ymdrech i'n perswadio i ymuno â'i gwmni roedd Jim wedi'n gwahodd i fod yn rhan o ŵyl werin yr oedd yn ei threfnu ar ran CSE (Combined Services Entertainment). Roedd CSE yn olynydd i'r uned oedd yn trefnu adloniant adeg y rhyfel, sef ENSA. Yr hyn a'n perswadiodd i gytuno oedd y byddai'r ŵyl yng Nghyprus.

Dyma felly gael ein hunain yn byrddio awyren yr RAF yn Brize Norton ynghyd â'r gantores a'r gyfansoddwraig o Ganada, Bonny Dobson, y canwr gwerin a 'blues' Johnny Silvo gyda Dave Moses, The Yetties o Dorset a Diz Disley, meistr ar y gitâr. Ganwyd Diz i rieni o Gymry yn Winnipeg, Canada. Pan oedd ond yn bedair oed, symudodd ei rieni yn ôl i Landysul ac yna ymhen pum mlynedd arall i Ingleton, gogledd Swydd Efrog lle'r oedd y fam yn athrawes. Roedd Diz yn chwedl ymysg gitaryddion. Roedd yn enwog am rychwant eang ei arddulliau ynghyd â'i waith gyda Stephane Grappelli a dull o chwarae a ysbrydolwyd gan Django Reinhardt.

Y peth cyntaf a'n trawodd oedd y ffaith fod y seddi ar yr awyren yn wynebu tuag yn ôl. Mynnai un o stiwardiaid yr RAF fod hyn yn gwneud yr awyren yn fwy diogel. Ond roedd hyn yn amhoblogaidd ymhlith teithwyr cyffredin oedd yn mynd ar wyliau gan y byddai'n well ganddyn nhw weld ble roedden nhw'n mynd! Cymerodd y daith lawer mwy o amser na'r disgwyl, hynny am na châi awyren filwrol hedfan dros diroedd gwledydd eraill.

Roeddem i berfformio mewn dau gyngerdd oedd i'w cynnal yn yr awyr agored yn amffitheatr Roegaidd-Rufeinig Salamis ger Famagusta a Curium yn Limassol. Roedd y golygfeydd yn anhygoel nes i'r lle gael ei lenwi gan filoedd o filwyr yn cario blychau rhew yn cynnwys caniau o gwrw.

Cawsom dderbyniad reit dda gyda'r gynulleidfa'n mwynhau'r caneuon, a'r clebran o'r llwyfan yn cael ymateb da hefyd. Yna, ar ganol cân Gymraeg gwelsom faner Cymru'n cael

Johnny Silvo a Dave Moses

Telyn Aloma'n cael ei chludo ar lori'r fyddin

ei chwifio a'i chludo tua'r llwyfan. Ar ddiwedd y gân daeth cludydd y faner, aelod o'r RAF, i fyny i'r llwyfan a'i phlethu fel sgarff am wddf Aloma. Ac yno yr arhosodd y faner tan ddiwedd ein perfformiad.

Yn ddiweddarach fe wnaethon ni gael sgwrs â'r awyrennwr a gludodd y faner. Esboniodd ei fod yn un o hanner dwsin o awyrenwyr Cymreig oedd yn rhan o dîm achub mynydd ym mynyddoedd Kyrenia. Roedden nhw wedi dod lawr i'r cyngerdd ar ôl clywed y byddai grŵp Cymraeg yn rhan o'r digwyddiad. Mae'r faner a glymodd o gwmpas gwddf Aloma gen i o hyd.

Ar gyfer un o'r ddau berfformiad roedd mwyafrif y gynulleidfa yn perthyn i gatrawd o Swydd Efrog. Roedd y cyngerdd i'w weld yn mynd yn ei flaen yn esmwyth. Ond wrth i'r noson hwyrhau, dechreuodd cynnwys y caniau cwrw gael effaith. Erbyn i Diz Disley gychwyn ei berfformiad aeth pethe o chwith. Doedd ei waith clyfar ar y gitâr ddim yn derbyn yr ymateb a haeddai. Yn sydyn rhoddodd yr offeryn o'r neilltu a dechreuodd annerch y gynulleidfa. Er yn amlwg, meddai, nad oedden nhw'n gwerthfawrogi ei arddull arbennig ef, teimlai'n falch o'r ffaith fod ei dad yn hanu o Swydd Efrog. Dechreuodd y dorf ymdawelu, yn arbennig o glywed fod ei dad yn un o lowyr Swydd Efrog. Aeth Diz ymlaen i blesio'r gynulleidfa fwyfwy drwy ddweud fod ei dad yn dal y record yn Swydd Efrog am deithio milltir mewn sgidiau glöwr. Yna cafwyd tawelwch llwyr wrth iddo ychwanegu fod ei dad wedi gwneud hynny drwy ddisgyn lawr Siafft Rhif 3!

Fe drodd y lle yn bedlam. Cydiodd Diz yn ei gitâr a'i gosod tan ei gesail wrth iddo wawdio'r gynulleidfa gydag arwyddion 'V' a ffoi o'r llwyfan tan gawod o ganiau cwrw.

Cawsom daith dramor arall ym mis Awst 1973, sef ymweliad â'r Fête Interceltique des Cornemuses yn Lorient. Roedd yr ŵyl yn ei thrydedd flwyddyn, a ni ynghyd â thîm chwarae 'bridge' o Gaerdydd oedd yr unig gynrychiolwyr o Gymru. Y rheswm dros y diffyg cynrychiolaeth oedd bod yr ŵyl yn cydredeg â'r Eisteddfod Genedlaethol. Golygai hynny fod mwyafrif mawr cerddorion a chantorion Cymraeg yn brysur yn ymwneud â'r Brifwyl.

Fel grŵp Saesneg ein hiaith a'r rheol Gymraeg yn bodoli yn yr Eisteddfod byddem ar gael i berfformio o gwmpas yr wythnos gyntaf ym mis Awst. Ar y pryd roeddem yn teithio gogledd Cymru a doedd prysurdeb ein rhaglen ddim yn caniatáu i ni hwylio draw ar y llong fferi. Dyma benderfynu felly hedfan draw. Fe wnaethon ni yrru i Faes Awyr Manceinion er mwyn hedfan i Kemper. Golygai'r daith y byddem yn gorfod newid awyren yn Jersey. Fe wnaethom hynny a chael ein hunain ar awyren ryfedd ei siâp gyda dau bropeler.

'Hen Fokker yw hi,' meddai Frank.

Ac o'i gweld, fedrwn i ddim ond cytuno ag ef! Dyma fyrddio'r awyren hynafol gan osod y delyn i orffwys yn sigledig ar draws tair sedd. A ffwrdd â ni i Kemper. Gorliwio fyddai disgrifio'r man glanio fel maes awyr. Roedd y rhedfa yn un fer gyda sied yn sefyll ar ei phen draw. Dyma sylweddoli pam fyddai'r Pab yn mynnu cusanu'r ddaear ar ôl glanio. A dyma ganfod nad sied oedd yr adeilad ond cyfuniad o gaffi a swyddfa'r tollau. Aeth swyddog ati'n llafurus i lenwi ein ffurflenni tollau. Pan welodd y delyn, dechreuodd grafu ei ben. Ond ar ôl nifer o alwadau ffôn, caniataodd i ni fynd trwodd.

Fe wnaeth y pwyllgor yn Lorient anfon fen ddodrefn Citroen i'n casglu ni. Cafodd Aloma eistedd yn sedd y teithiwr tra roedd Frank a finne'n gorfod sefyll ar ein traed yn y cefn yn dal y delyn ar ei thraed. Yn anffodus roedd y gyrrwr yn Llydawr llawn brwdfrydedd a fynnodd stopio ymhob pentref ar y ffordd i glodfori'r ddiod feddwol leol, sef Chouchenn. A rhaid fu i ni ei brofi ymhob pentref. O'r diwedd fe wnaethom gyrraedd pen ein taith braidd yn sigledig, ond yn barod am wythnos o rialtwch.

Ein gorchwyl cyntaf oedd cael ein cyflwyno i'r dyn a fyddai'n ein llywio gydol yr wythnos, Polig Monjarret. Ni chymerodd ond pum munud i ni sylweddoli y byddai hon yn wythnos o hwyl a sbri wrth i Polig glymu'r delyn ar do ei hen gar Mercedes mawr. Cyhoeddodd gyda balchder mai ef fyddai â gofal yr holl

Aloma a finne gydag aelodau o Bwyllgor Gŵyl Lorient gyda Polig Monjarret yn penlinio ar y chwith

griw o gerddorion Cymreig yn yr ŵyl, hynny yw, yr Hennessys!

Cychwynnodd yr wythnos gyda phriodas Lydewig draddodiadol gyda phawb ohonom a fyddai'n cymryd rhan yn dilyn y cart a'r ceffyl a gludai'r priodfab. Gan mai gŵyl a chystadlaethau ar gyfer y chwaraewyr y bagbib oedd hon, roedd yna gynrychiolaeth gref o Albanwyr, Gwyddelod a Llydawyr yn gorymdeithio y tu ôl i'w baneri. Ac yn y canol roedd tri ohonom yn gorymdeithio y tu ôl i'r Ddraig Goch.

Bu'n wythnos wych, a Polig yn gweithredu fel y gwesteiwr perffaith gydol yr amser gan ein haddysgu'n drwyadl am Lydaw a'i thraddodiadau. Ond ei gyfraniad mwyaf fu datgelu i ni hyfrydwch blasus bwydydd a diodydd yr ardal.

Treuliasom lawer o'r wythnos lawr yn y 'port de pêche' yn bwyta 'fruits de mer', yfed Muscadet a mwynhau synnwyr digrifwch Polig. Daeth yn bryd i ni adael, a'r tro hwn cawsom yrrwr fen ddodrefn nad oedd ag unrhyw ddiddordeb mewn stopio ymhob pentref. Nôl â ni i'r sied lle'r oedd dyn tollau gwahanol yn treulio'i amser yn crafu ei ben a ffonio hwn a'r llall. O'r diwedd cawsom ganiatâd i adael.

O edrych yn fanylach ar y dogfennau angenrheidiol dyma ddod i ddeall beth fu gwraidd ein problemau. Roedden ni wrth gyrraedd wedi disgrifio'r delyn fel telyn bedal. Ond yr unig beth a fedrai'r swyddog tollau feddwl amdano gyda phedal oedd beic. A dyna beth a nododd ar y ffurflen. Roedd yr ail ddyn tollau felly wedi bod yn chwilio am feic nad oedd yn bodoli. Ond yn ffodus fe sylweddolodd fod ei gydweithiwr wedi gwneud camgymeriad. Anwybyddodd y cam gwag a chaniataodd i ni adael.

Bant â ni felly yn yr hen Fokker i Jersey ac yn ôl i Fanceinion i ffeindio'r car a gyrru nôl i Fochdre, lle'r oedden ni'n aros dros dro. Daeth yn amser i ni benderfynu beth i'w wneud â chynnig Jim Lloyd o gytundeb gwaith. Doeddwn i ddim wedi meddwl llawer am y peth ond sylweddolwn y byddai'n rhaid dod i benderfyniad yn fuan. Roedd Frank eisoes wedi ystyried y peth ac wedi dod i'r penderfyniad nad oedd y syniad yn cynnig dyfodol ariannol digon diogel iddo fel canwr gwerin. Penderfynodd yn hytrach dderbyn cynnig gwahanol, sef swydd fel cynrychiolwr gwerthiant gyda chwmni Fairholme Engineering.

O hynny ymlaen fe wnaethom wrthod pob gwahoddiad newydd fel perfformwyr ond i gwblhau'r ymddangosiadau yr oeddem eisoes wedi ymrwymo i'w gwneud. Ein perfformiad olaf oedd ym mis Medi yn un o'n hoff leoliadau sef y clwb gwerin yn Atlantic House yn Lerpwl. Wedyn fe wnaethom wahanu a mynd ein gwahanol ffyrdd. Dychwelodd Aloma adre i Sir Fôn. Aeth Frank i gyflogaeth gyfreithlon. Ac fe wnes i fynd i swyddfa'r dôl i geisio'u perswadio nad oedd bod yn ganwr gwerin yn swydd ddilys. Ac nad oeddwn, yn bendant, am gael fy ail-hyfforddi i fod yn gogydd!

Yn un o'n hoff dafarndai, y Panorama yn 1968

Yn y Jubilee Club, Grangetown yn 1966

*Aloma wedi iddi ennill y gystadleuaeth delyn yng ngŵyl Killarney.
Dyma'r llun a ymddangosodd wedi hynny
yn rhaglen Gŵyl Geltaidd Lorient.*

Dydd Gŵyl Dewi 1973 yn y Capitol, Caerdydd

Atgofion drwy Ganeuon – y gyfres sy'n gefndir i fiwsig ein dyddiau ni

Linda
yn adrodd straeon
SEIDR DDOE
ÔL EI DROED
PENTRE
LLANFIHANGEL
TÂN YN LLŶN
a chaneuon eraill

Ems
yn adrodd straeon
YNYS LLANDDWYN
COFIO DY WYNEB
PAPPAGIOS
Y FFORDD AC YNYS ENLLI
a chaneuon eraill

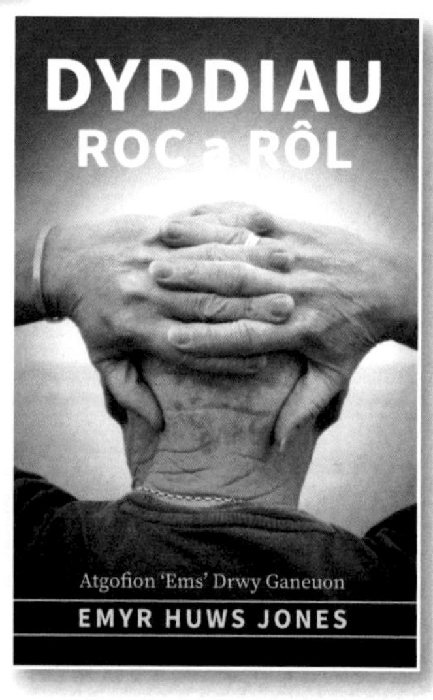

Doreen
yn adrodd straeon
RHOWCH I MI GANU
GWLAD
SGIDIAU GWAITH
FY NHAD
NANS O'R GLYN
TEIMLAD CYNNES
a chaneuon eraill

Richard Ail Symudiad
yn adrodd straeon
Y FFORDD I SENART
TRIP I LANDOCH
GRWFI GRWFI
CEREDIGION
MÔR A THIR
a chaneuon eraill

Y Cyrff
yn adrodd straeon
CYMRU LLOEGR
A LLANRWST
ANWYBYDDWCH NI
DEFNYDDIA FI
IFANC A FFÔL
a chaneuon eraill

Geraint Davies
yn adrodd straeon
DEWCH I'R
LLYSOEDD
HEI, MISTAR URDD
UGAIN MLYNEDD
YN ÔL
CYW MELYN OLA
a chaneuon eraill

Ryland Teifi
yn adrodd straeon
NÔL
YR ENETH GLAF
BRETHYN GWLÂN
LILI'R NOS
PAM FOD EIRA
YN WYN
MAN RHYDD
a chaneuon eraill

Neil Rosser
yn adrodd straeon
OCHR TREFORYS
O'R DRE
DYDDIAU ABER
MERCH Y FFATRI
DDILLAD
GITÂR NEWYDD
a chaneuon eraill

Tudur Morgan
yn adrodd straeon
LLWYBRAU DDOE
ENFYS YN ENNIS
STRYD AMERICA
GIATIA GRESLAND
PORTH MADRYN
a chaneuon eraill

Dafydd Iwan
yn adrodd straeon
YMA O HYD
PAM FOD EIRA
YN WYN
ESGAIR LLYN
OSCAR ROMERO
HAWL I FYW
a chaneuon eraill